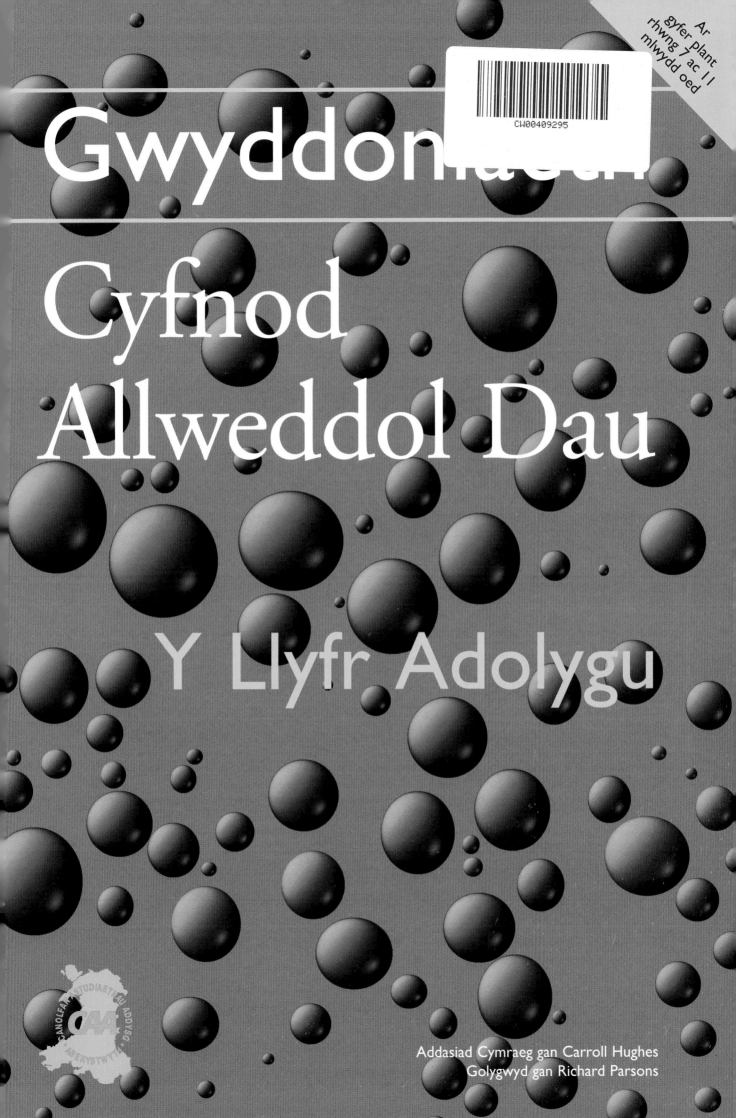

Gwyddoniaeth

Cyfnod Allweddol Dau

Y Llyfr Adolygu

Addasiad Cymraeg gan Carroll Hughes
Golygwyd gan Richard Parsons

CYNNWYS

Prosesau Bywyd a Phethau Byw

Defnyddiau a'u Priodweddau

Prosesau Ffisegol

26 o eiriau gwyddonol ffansi y dylech eu gwybod

Dyma 26 o eiriau ffansi y dylech eu dysgu.

1) **Anathraidd** .... ddim yn gadael dŵr drwyddo.

2) **Anweddiad** .... hylif yn cynhesu ac yn troi'n nwy – nid yr un peth â berwi, pan fydd hylif yn troi'n swigod o nwy.

3) **Brigwth** .... y grym sy'n gwthio i fyny o ddŵr, aer neu arwyneb.

4) **Cadwyn fwyd** .... diagram sy'n dangos pa anifail neu blanhigyn sy'n fwyd i beth.

5) **Cell** .... rhannau bach, bach y mae popeth byw wedi ei wneud ohonyn nhw.

6) **Cildroadwy** .... newid cildroadwy ydy un y gallwch ei newid yn ôl.

7) **Cyflyrau** .... solid, hylif a nwy yw'r tri chyflwr y gall rhywbeth fod ynddynt.

8) **Cynhyrchydd** .... organeb mewn cadwyn fwyd sy'n creu ei fwyd ei hun, e.e. planhigyn.

9) **Dargludydd (gwres)** rhywbeth sy'n gadael i wres lifo drwyddo.

10) **Dargludydd (trydan)** rhywbeth sy'n gadael i drydan lifo drwyddo.

11) **Defnydd** .... yr hyn mae rhywbeth wedi ei wneud ohono – nid 'ffabrig' yn unig.

12) **Diet cytbwys** .... diet sy'n rhoi'r meintiau cywir o bob math o fwyd.

13) **Ffrithiant** .... y grym sy'n rhoi gafael i ni.

14) **Ffrwythloniad** .... sberm yn uno ag wy – neu gronyn paill yn uno ag ofwl.

15) **Ffynhonnell goleuni** rhywbeth sy'n rhoi golau, bwlb er enghraifft.

16) **Gronyn** .... un o'r darnau bach, bach y gwnaed popeth ohonynt.

17) **Grymoedd cytbwys** grymoedd hafal sy'n gweithredu'n groes i'w gilydd ac yn canslo'i gilydd.

18) **Hydoddi** .... solid yn cymysgu â hylif gan adael hylif newydd, er enghraifft siwgr yn hydoddi mewn te i wneud te melys.

19) **Maeth** .... planhigion ac anifeiliaid yn cael bwyd er mwyn tyfu.

20) **Mesurydd newtonau** clorian sbring a ddefnyddir i fesur grym.

21) **Organ** .... rhan o'r corff sydd â swydd arbennig i'w gwneud.

22) **Peilliad** .... trosglwyddo paill o un blodyn i stigma blodyn arall.

23) **Ynysydd (gwres)** ..... rhywbeth sy'n atal gwres rhag llifo drwyddo.

24) **Ynysydd (trydan)** ... rhywbeth sy'n atal trydan rhag llifo drwyddo.

25) **Ysgarthiad** .... planhigion neu anifeiliaid yn cael gwared o wastraff.

26) **Ysydd** .... rhywbeth mewn cadwyn fwyd (unrhyw anifail) sy'n bwyta.

Byw neu Farw

Beth mae *popeth byw* yn ei wneud?

1) Er fod *popeth byw* yn edrych yn wahanol i'w gilydd, *maen nhw i gyd yn gwneud saith proses bywyd.*
2) Mae anifeiliaid a phlanhigion yn cael eu galw'n *organebau byw.*
3) Dim ond os yw'n gwneud pob un o'r saith proses mae rhywbeth yn *fyw.*

Saith Proses Bywyd – Cofiwch – "SASMYRT"

1) S – SYMUD – *hyd yn oed ychydig bach*

Mae *anifeiliaid* fel arfer yn symud eu *corff i gyd* wrth symud o un lle i'r llall.
Mae dail yn troi *tuag at y golau.* Mae gwreiddiau yn *tyfu i lawr* i'r pridd.

2) A – ATGENHEDLU – *mae pethau byw yn cael rhai bach*

Mae *anifeiliaid* yn cael anifeiliaid bach.
Mae *planhigion* newydd yn tyfu o hadau.

3) S – SENSITIF – *ymateb i newid*

Mae pethau byw'n *sylwi ar newidiadau* o'u cwmpas ac yn *ymateb* iddyn nhw.
Mae planhigion yn tyfu tuag at y golau. Mae ci yn arogli ei fwyd ac yn rhedeg ato.

4) M – MAETHIAD – *bwyta*

Mae bwyd yn cael ei ddefnyddio i roi egni.
Mae planhigion gwyrdd yn cynhyrchu eu bwyd eu hunain drwy ddefnyddio goleuni'r haul.
Mae anifeiliaid yn bwyta planhigion neu anifeiliaid eraill.

5) Y – YSGARTHU – *rhaid cael gwared o wastraff*

Rhaid *cael gwared* o *wastraff* o'r corff.
Mae angen i anifeiliaid a phlanhigion gael gwared o *nwy gwastraff a dŵr.*

6) R – RESBIRADU – *mae organebau byw yn weithredol*

Mae planhigion ac anifeiliaid yn defnyddio'r *ocsigen* sydd yn yr aer i *droi bwyd yn egni.*

7) T – TYFU – *mae popeth yn mynd yn fwy*

Mae *eginblanhigion* yn tyfu'n blanhigion mwy.
Mae *babanod* yn tyfu'n oedolion.

Ydych chi'n fyw? – cymerwch brawf bywyd...

Os yw'n fyw mae'n gwneud pob un o *saith proses bywyd,* boed yn blanhigyn, yn berson neu hyd yn oed yn bengwin. Ydych chi'n gwybod beth ydy'r saith proses eto? Os mai "Na" oedd eich ateb, edrychwch yn ôl a cheisiwch gofio llythrennau cyntaf *"SASMYRT "* – bydd yn gwneud eich bywyd yn haws o lawer – ond cofiwch wneud yn siŵr eich bod yn gwybod eu hystyr.

Dannedd a Bwyta

Mae dannedd yn eich helpu i *dorri, rhwygo* a *malu* eich bwyd yn fân cyn i chi ei lyncu. Mae bodau dynol yn *hollysyddion* (mae'n nhw'n bwyta planhigion ac anifeiliaid) ac mae eu dannedd wedi eu cynllunio i fwyta'r rhan fwyaf o'r gwahanol fathau o fwyd.

Mae gan fodau dynol *dri math* o ddannedd

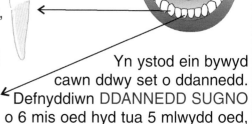

<u>CILDDANNEDD</u>: Dannedd ôl i *wasgu* a *malu* bwyd yn fân.

<u>DANNEDD LLYGAD:</u>
Mewn anifeiliaid sy'n bwyta cig, cathod a chŵn er enghraifft, maen nhw'n hir ac yn finiog ac yn cael eu defnyddio i *drywanu* ac i *afael* mewn bwyd.

<u>BLAENDDANNEDD:</u>
Brathu a *thorri* bwyd ydy gwaith y blaenddannedd.

Yn ystod ein bywyd cawn ddwy set o ddannedd. Defnyddiwn DDANNEDD SUGNO o 6 mis oed hyd tua 5 mlwydd oed, yna cawn DDANNEDD PARHAOL.

Mae dannedd yn wahanol mewn *anifeiliaid eraill*

Mae gan y <u>CIGYSYDDION</u> *(bwytwyr cig)* ddannedd sy'n addas i ladd anifeiliaid eraill ac i rwygo cnawd. Mae'r dannedd llygad yn hir a miniog i afael yn dynn mewn cnawd a'r cilddannedd yn cracio a malu esgyrn yn fân.

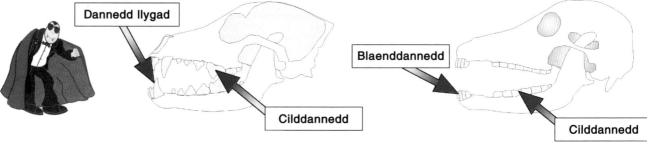

Dannedd llygad

Cilddannedd

Blaenddannedd

Cilddannedd

Mae gan y <u>LLYSYSYDDION</u> *(bwytwyr planhigion)* ddannedd sy'n addas i fwyta planhigion. Mae'r blaenddannedd yn torri a'r cilddannedd yn malu'n fân.

Pedair ffordd *o ofalu am eich dannedd*

Brwsio'r dannedd ddwy waith y dydd i gael gwared o'r plac. Defnyddio past dannedd sy'n cynnwys fflworid i gadw'r dannedd yn gryf.

Defnyddio edau ddeintiol i gael gwared o'r plac a'r darnau bwyd y mae bacteria'n bwydo arnyn nhw. Yn bennaf, ffefryn pawb — ymweld â'r DEINTYDD.

Bwyta'r bwyd cywir fel ffrwythau a llysiau. Mae yfed llaeth hefyd yn dda i chi ac mae fflworid yn y dŵr mewn rhai ardaloedd.

Rhowch eich dannedd yn hwn...

Dyna dudalen ffantastig — digon o luniau bywiog i wneud dysgu am ddannedd *yn hawdd*. Ond fe ddylech wybod popeth am hynny'n barod. Mae pawb call yn gwybod sut i edrych ar ôl eu dannedd, fe fyddai'n ddrwg iawn hebddyn nhw. Gwenwch....

Dannedd a Bwyta

Mae'r bwyd cywir yn bwysig i gael corff iach

1) Rhaid cael *diet cytbwys.*

2) Diet cytbwys yw *cymysgedd* o'r *saith* math hyn o fwyd:

Grŵp bwyd	Pam yr angen	Ym mha fwydydd
Carbohydradau 1. Startsh	Egni	Bara Pasta Grawnfwyd
Carbohydradau 2. Siwgrau		Bisgedi Cacennau Melysion
Proteinau	Twf celloedd a'u hatgyweirio	Pysgod Llaeth Wyau
Brasterau	Egni	Llaeth, Caws Menyn, Cig Olew coginio
Fitaminau a Mwynau	Celloedd iach	Ffrwythau Llysiau Cynnyrch llaeth
Ffibr	Helpu'r bwyd i symud trwy'r coluddion	Bara grawn cyflawn, Grawnfwyd Ffrwythau, Llysiau
Dŵr	Dŵr ydy 70% o'r corff	Diodydd (Rhai bwydydd)

Mae cymryd siawns gyda'ch iechyd yn gallu niweidio'r corff

Ysmygu

Mae hyn yn achosi trawiad ar y galon, rhydwelïau'n culhau, canser yr ysgyfaint ac anawsterau anadlu. Mae tybaco'n cynnwys nicotîn sy'n gwneud i bobl fynd yn ddibynnol arno.

Alcohol

Mae'n arafu eich adweithiau. Mae yfed yn drwm yn niweidio'r iau/afu, y galon a'r stumog.

Toddyddion

Mae arogli glud a phaent yn niweidio'r ymennydd ac yn gwneud i bobl fynd yn ddibynnol arnynt.

Diffyg ymarfer

Mae diffyg ymarfer corff yn gwanhau'r cyhyrau, gan gynnwys y galon a'r ysgyfaint. Mae ymarfer yn llosgi braster.

Cyffuriau

Gall y rhain eich lladd o'u camddefnyddio. Mae llawer yn gwneud i bobl fynd yn ddibynnol arnynt.

Byddwch fyw'n hir — a llwyddo....

Byw'n *iach* ydy neges y dudalen hon a byddwch yn llawer gwell o ddysgu ei chynnwys. Mae *diet amrywiol a chytbwys* yn ddechrau da. Cadwch yn glir oddi wrth gyffuriau a thoddyddion peryglus a pheidiwch ag ysmygu ac yfed — maen nhw i gyd yn *niweidio* eich corff. Nawr te, i ffwrdd â chi i ymarfer...

Cadw'n Iach

Prif organau'r corff dynol

Rhan o'r corff sy'n gwneud *gwaith arbennig* ydy *organ*. Mae organau wedi eu gwneud o *gelloedd bach.* Yn y diagram hwn dangosir rhai o organau pwysica'r corff a'u gwaith.

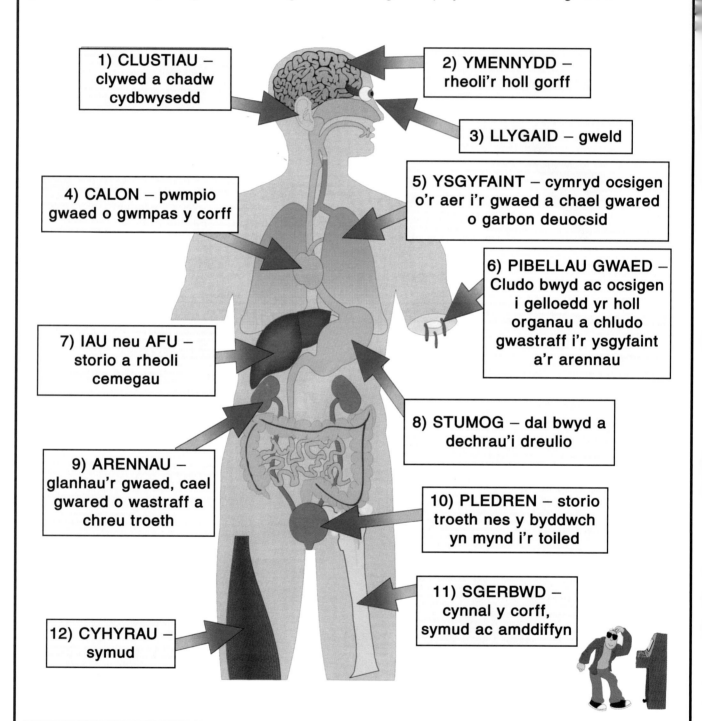

1) CLUSTIAU – clywed a chadw cydbwysedd

2) YMENNYDD – rheoli'r holl gorff

3) LLYGAID – gweld

4) CALON – pwmpio gwaed o gwmpas y corff

5) YSGYFAINT – cymryd ocsigen o'r aer i'r gwaed a chael gwared o garbon deuocsid

6) PIBELLAU GWAED – Cludo bwyd ac ocsigen i gelloedd yr holl organau a chludo gwastraff i'r ysgyfaint a'r arennau

7) IAU neu AFU – storio a rheoli cemegau

8) STUMOG – dal bwyd a dechrau'i dreulio

9) ARENNAU – glanhau'r gwaed, cael gwared o wastraff a chreu troeth

10) PLEDREN – storio troeth nes y byddwch yn mynd i'r toiled

11) SGERBWD – cynnal y corff, symud ac amddiffyn

12) CYHYRAU – symud

Organau — ydyn nhw'n anoddach i'w dysgu na phianos?....

Rydw i'n gwybod eich bod chi eisiau llwyddo, ond wnes i ddim dweud ei bod yn mynd i fod yn hawdd. Mae tipyn o waith dysgu yma — felly, cymerwch *ddau* o'r organau ar y tro a dysgu popeth amdanyn nhw — *lle* maen nhw yn y corff a *beth* ydy eu gwaith. Wedyn cymerwch ddau arall a gwneud yr un peth. Cyn pen dim, byddwch wedi dysgu ble mae pob un o organau'r corff a beth ydy eu gwaith.

Cadw'n Iach

Mae'r *galon yn pwmpio'r gwaed* o gwmpas y corff

Mae system cylchrediad yn swnio fel system draffig mewn dinas, ond eich *gwaed*, eich *pibellau gwaed* a'ch calon chi ydyw ac mae'n bwysig iawn. Dysgwch y ffeithiau hyn:

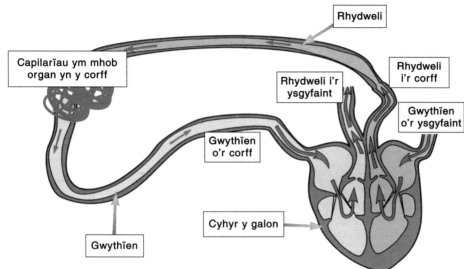

Rhydweli

Capilarïau ym mhob organ yn y corff

Rhydweli i'r ysgyfaint

Rhydweli i'r corff

Gwythïen o'r ysgyfaint

Gwythïen o'r corff

Gwythïen

Cyhyr y galon

Pan fydd y galon yn curo, mae'r gwaed yn cael ei bwmpio allan o'r ddwy rydweli. Mae'r llun yn dangos yr un sy'n cario gwaed i'r corff. Mae'r llall yn cario gwaed i'r ysgyfaint.

Rhydwelïau — cario gwaed o'r galon i gelloedd y corff.
Gwythiennau — cario gwaed o'r celloedd yn ôl i'r galon.
Capilarïau — caniatáu i fwyd a nwyon fynd i mewn ac allan o'r gwaed.

1) Mae un *rhydweli* yn cario'r gwaed i'r ysgyfaint lle mae'n cymryd *ocsigen* i mewn.
2) Mae'r rhydweli arall yn mynd â'r gwaed gyda'r *ocsigen* a'r *bwyd* i holl gelloedd y corff.
3) Mae'r galon tu fewn i *gawell yr asennau,* sy'n ei hamddiffyn.
4) Wrth ymarfer, mae'r galon yn curo'n amlach ac yn pwmpio mwy o waed â phob curiad.

Codennau *aer mawr ydy'r ysgyfaint*

1) Mae'r ysgyfaint fel dau *fag sbyngaidd* yn llawn o filiynau o godennau aer.
2) Gwaith yr ysgyfaint ydy rhoi *ocsigen* i'r gwaed a thynnu'r *carbon deuocsid* allan ohono.
3) Mae hyn yn digwydd bob tro rydych chi'n anadlu i *mewn* ac *allan.*
4) Wrth ymarfer rydych yn anadlu'n ddwfn ac yn fwy cyflym.

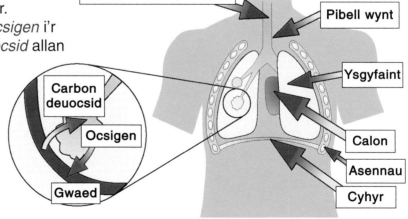

Anadlu i mewn ac allan

Pibell wynt

Ysgyfaint

Calon

Asennau

Cyhyr

Carbon deuocsid

Ocsigen

Gwaed

Curiad calon — rhythm bywyd....

Mae beirdd yn dweud bod ein calonnau yn gwneud i ni syrthio mewn cariad ac mai dim ond amser sy'n gallu gwella calon sydd wedi ei thorri. Rydyn ni'n gwybod mai *pwmp* mawr sy'n symud gwaed o gwmpas ein corff ydy'r galon. Pe byddai ein calon yn torri ac yn peidio â phwmpio, yna byddai *ar ben arnom.* Rhaid i chi ofalu am eich calon os ydych chi am fyw yn *hir.* Byddwch yn fywiog, byddwch yn llon, *PEIDIWCH AG YSMYGU...*

Symud a Thyfu

Mae gennych *sgerbwd* tu mewn i'ch corff

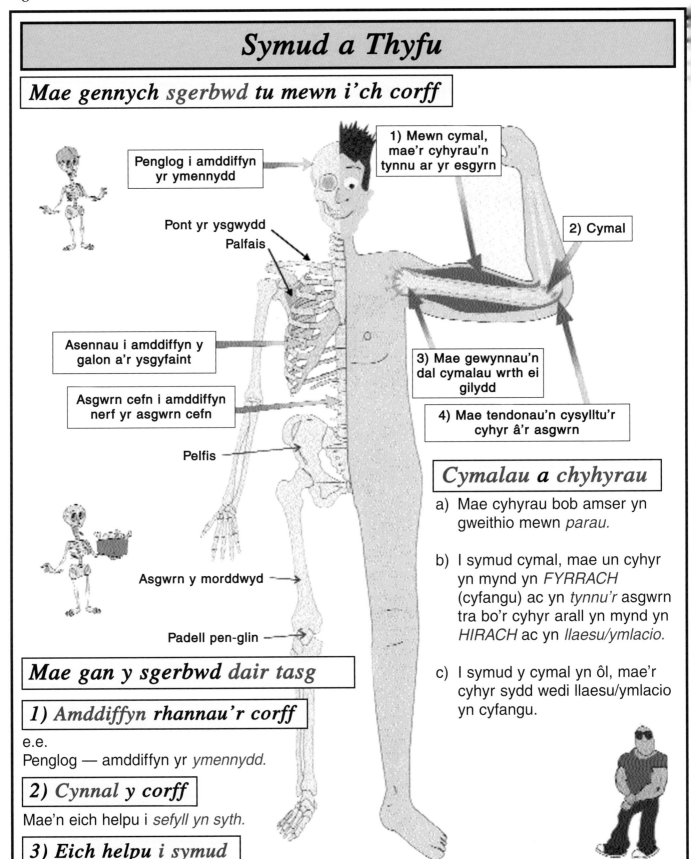

Penglog i amddiffyn yr ymennydd

1) Mewn cymal, mae'r cyhyrau'n tynnu ar yr esgyrn

2) Cymal

Pont yr ysgwydd
Palfais

Asennau i amddiffyn y galon a'r ysgyfaint

Asgwrn cefn i amddiffyn nerf yr asgwrn cefn

3) Mae gewynnau'n dal cymalau wrth ei gilydd

4) Mae tendonau'n cysylltu'r cyhyr â'r asgwrn

Pelfis

Asgwrn y morddwyd

Padell pen-glin

Cymalau a chyhyrau

a) Mae cyhyrau bob amser yn gweithio mewn *parau.*

b) I symud cymal, mae un cyhyr yn mynd yn *FYRRACH* (cyfangu) ac yn *tynnu'r* asgwrn tra bo'r cyhyr arall yn mynd yn *HIRACH* ac yn *llaesu/ymlacio.*

c) I symud y cymal yn ôl, mae'r cyhyr sydd wedi llaesu/ymlacio yn cyfangu.

Mae gan y sgerbwd *dair tasg*

1) Amddiffyn *rhannau'r corff*

e.e.
Penglog — amddiffyn yr *ymennydd.*

2) Cynnal *y corff*

Mae'n eich helpu i *sefyll yn syth.*

3) Eich helpu *i symud*

Mae cyhyrau yn sownd wrth yr esgyrn. Mae gan yr esgyrn *gymalau* fel y gall y sgerbwd *blygu.*

Mae hyn yn hawdd — dim ond i chi gofio'r ffrâm...

Gwnewch yn siŵr eich bod yn gwybod sut rydyn ni'n symud ein corff. Cofiwch fod y cyhyrau'n gweithio mewn *parau* a bod un yn *llaesu/ymlacio* tra bo'r llall yn *cyfangu.* Meddyliwch amdano, ac mi ddylech ddeall sut mae'n gweithio. Ceisiwch wylio'r cyhyrau yn eich braich wrth i chi ei symud i fyny ac i lawr.

Cylchred Bywyd Bod Dynol

Mae atgenhedlu yn cynhyrchu *babanod*

1) Dydy anifeiliaid ddim yn byw am byth. Rhaid i fwy gael eu creu i gymryd lle'r rhai sy'n marw.
2) Caiff mwy o anifeiliaid eu creu drwy *atgenhedlu*.
3) Mae baban yn tyfu o *gell fechan* yn y fam.
4) Mae *embryo'n* dechrau datblygu pan fydd wy y tu mewn i'r fam yn cael ei *ffrwythloni* gan *sberm* o'r tad.
5) Mae'r embryo'n tyfu yng *nghroth* y fam i fod yn *faban*.

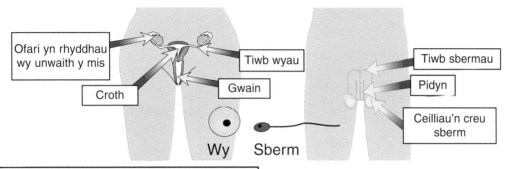

Cylchred bywyd bod dynol

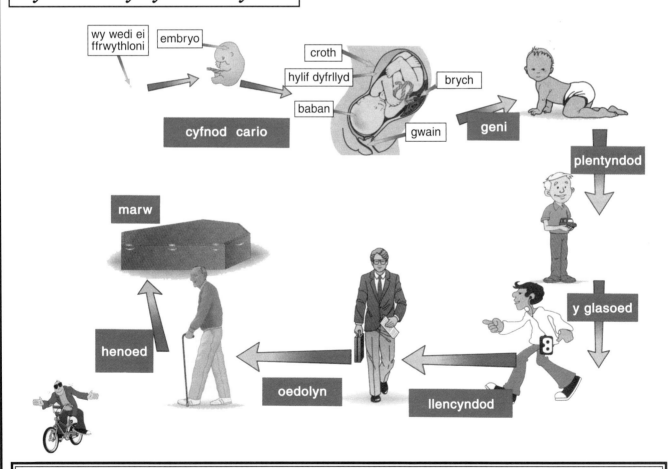

Cylchred bywyd — o'r crud i'r bedd

Yr hyn i'w gofio yma ydy fod rhaid i anifeiliaid *newydd* gael eu geni neu fyddai yna ddim ar ôl wedi i'r hen rai farw. Cofiwch fod anifeiliaid yn *newid* wrth iddyn nhw dyfu. Mae babanod bychan yn hollol ddibynnol ar eu rhieni am bob dim, ond fe allwch chi wneud llawer drosoch eich hunan, gobeithio.

Helpu Planhigion i Dyfu'n Gryf

Wedi eu hadeiladu i wneud *saith proses bywyd*

Mae yna *4 prif ran i blanhigyn*, i gyd wedi
eu creu i wneud saith proses bywyd
(gweler tud. 1).

Mae ar blanhigion angen
goleuni, gwres a digon
o *ddŵr* i *DYFU*.

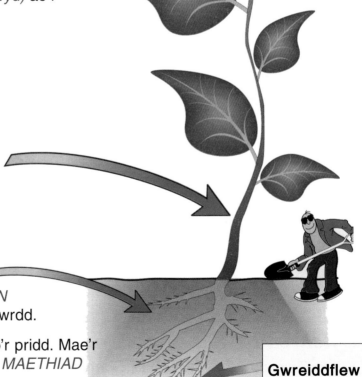

1) Blodau

— er mwyn *ATGENHEDLU.*

Mae ganddyn nhw *liw* ac *arogl* i ddenu pryfed.
Maen nhw'n creu *paill (celloedd rhywiol gwrywol)*
sy'n uno gyda'r *wyau (celloedd rhywiol benywol).*
Mae rhan o'r blodyn yn marw ac mae'r hyn
sydd ar ôl yn datblygu'n ffrwyth newydd
gyda *hadau.*

2) Dail

— er mwyn cael *MAETH (bwydo).*

Mae'r *cloroffyl gwyrdd* yn y dail yn
defnyddio golau'r haul i droi nwy carbon
deuocsid a dŵr yn *fwyd* — yr enw ar hyn ydy
ffotosynthesis.
Felly, mae dail yn bwysig i roi *MAETH (bwyd)* ac i
YSGARTHU (cael gwared o wastraff).

3) Coesyn

— er mwyn *DAL* a *SYMUD* y planhigyn
tuag at y golau.

Mae'n cario *dŵr* a *mwynau* o'r
gwreiddiau i *weddill y planhigyn.*

4) Gwreiddiau

— mae'r rhain yn *ANGORI'R PLANHIGYN*
yn y ddaear rhag iddo gael ei chwythu i ffwrdd.

Maen nhw'n *amsugno'r dŵr* a'r *mwynau* o'r pridd. Mae'r
gwreiddiau yn angenrheidiol felly ar gyfer *MAETHIAD
(bwydo).*

Gwreiddflew

Helpu Planhigion i Dyfu'n Gryf

Mae pedwar prif gam i *Gylchred Bywyd* planhigyn.

1) Eginiad

1) Mae eginiad yn digwydd pan fydd *hadau'n* dechrau *tyfu*.

2) Mae'r hadau'n cracio a *gwreiddiau* a *chyff* bychain yn ymddangos ac yn tyfu'n blanhigyn newydd.

2) Peilliad

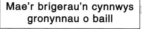

Mae'r brigerau'n cynnwys gronynnau o baill

Mae'r carpel yn cynnwys yr wyau

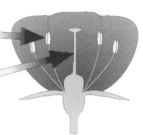

1) Mae'r organau atgenhedlu y tu mewn i'r blodyn.

2) Mae'r *celloedd gwrywol* (y paill) yn cael eu cynhyrchu yn y briger.

3) Mae'r *celloedd benywol* (yr wyau) yn cael eu cynhyrchu yn y carpel.

4) *Peilliad* ydy'r broses o symud y paill o'r briger i'r carpel.

5) Mae rhai planhigion yn cael eu peillio gan *bryfed* a rhai eraill gan y *gwynt*.

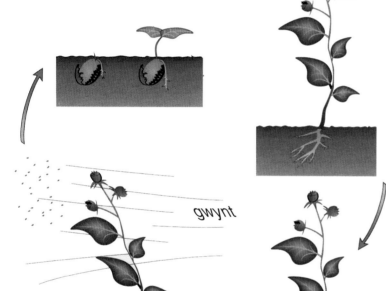

B z z z z

gwynt

3) Ffrwythloniad a chynhyrchu hadau

1) *Ffrwythloniad* ydy gronyn *paill* yn uno gyda'r *wy*.

2) Mae'r wy sydd wedi'i ffwythloni yn tyfu'n *hedyn*.

3) Mae'r blodyn yn *marw* ac yn gadael *ffrwyth* sy'n cynnwys hadau ar ôl.

4) Gwasgariad hadau

1) Mae'r ffrwythau a'r hadau yn cael eu cludo i ffwrdd oddi wrth y planhigyn i atal *gorlenwi*.

2) Mae *anifeiliaid* yn gwasgaru'r hadau wrth eu bwyta.

3) Mae hadau yn cael eu cludo gan y *gwynt*.

Planhigion — mae mwy i blanhigion na blodau del...

Y syniad ydy i chi *ddysgu* popeth ar y ddwy dudalen — does yna ddim ffordd arall amdani. Cymerwch *un* rhan o'r planhigyn ar y tro ac edrychwch pa un o brosesau bywyd ydy ei waith. Yna, *cuddiwch* y dudalen i weld faint allwch chi ei *gofio*.

Addasu

Gall *bodau dynol* fyw ym mhob rhan o'r byd. Gallwn wneud hyn oherwydd ein bod yn gallu gwisgo dillad ac adeiladu tai sy'n addas i amodau gwahanol — fel Affrica neu'r Arctig. Dim ond mewn rhai *amgylcheddau* arbennig mae'r rhan fwyaf o blanhigion ac anifeiliaid yn gallu byw — allan nhw ddim newid eu dillad.

Gelwir y lle mae planhigyn neu anifail yn byw yn gynefin iddo

Mae'r *cynefin (lle byw)* yn rhoi *bwyd* a *chysgod* i'r planhigyn neu'r anifail. Mae'r cynefin hefyd yn caniatáu i bethau byw atgenhedlu *(cael rhai bach)* mewn amgylchedd diogel, e.e. gwrych, cae neu goeden.

Esiamplau eraill: Llyffant/Broga mewn pwll:

Aderyn mewn coedwig:

Gwlithod blasus i'w bwyta. *Dŵr* ar gyfer grifft broga. *Aer llaith* i atal y llyffant/broga rhag sychu.

Digon o ddefnyddiau i adeiladu *nyth*. Plu wedi eu *cuddliwio*. Digon o *bryfed* genwair yn y ddaear.

Mae planhigion ac anifeiliaid wedi addasu i'w cynefin

I'w helpu i *oroesi* yn eu cynefin, mae pethau byw wedi datblygu *nodweddion arbennig* sy'n addas i'r lle maen nhw'n byw. Mae'r rhain yn eu helpu i barhau i allu byw yn eu cynefin. Dyma esiamplau o addasu:

Dyfrgi

1) *Llygaid* a *ffroenau* yn cau o dan y dŵr.
2) *Traed gweog* i'w helpu i symud yn y dŵr.
3) *Blew hir* o gwmpas ei geg i deimlo dirgryniadau yn y dŵr ac i'w helpu i ganfod ei fwyd.

Gwiwer

1) *Crafangau hir* i afael ac i'w helpu i ddringo.
2) *Dannedd cryf* i dorri cnau.
3) *Cynffon drwchus* ar gyfer cydbwysedd.

Cactws

1) *Gwreiddiau hir* i ganfod dŵr.
2) *Coesynnau tew* i storio dŵr.
3) *Dail tenau, nodwyddog* i atal colli dŵr.

Addasu

Goroesi mewn amgylcheddau *poeth* — *llygoden yr anialwch*

Gall anialwch y Sahara fod fel *ffwrnais* gan gyrraedd tymheredd hyd at 55°C *(30°C ydy'r tymheredd uchaf a gawn ni ganol haf yn y Deyrnas Unedig).* Mae llygoden yr anialwch wedi gwneud yr addasiadau hyn i'w galluogi i fyw'n llwyddiannus yn yr amgylchedd hwnnw:

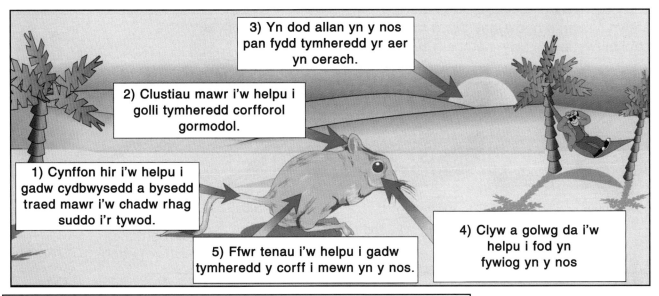

3) Yn dod allan yn y nos pan fydd tymheredd yr aer yn oerach.

2) Clustiau mawr i'w helpu i golli tymheredd corfforol gormodol.

1) Cynffon hir i'w helpu i gadw cydbwysedd a bysedd traed mawr i'w chadw rhag suddo i'r tywod.

5) Ffwr tenau i'w helpu i gadw tymheredd y corff i mewn yn y nos.

4) Clyw a golwg da i'w helpu i fod yn fywiog yn y nos

Goroesi mewn amgylcheddau *oer* — *y morloi*

Mae amgylchedd Pegwn y Gogledd yn *oer iawn*. Dydy hi ddim yn cynhesu yno hyd yn oed yn yr haf. Mae'r morloi'n gweddu i'r oerni — dyma'r nodweddion sy'n ei alluogi i fyw yno'n llwyddiannus:

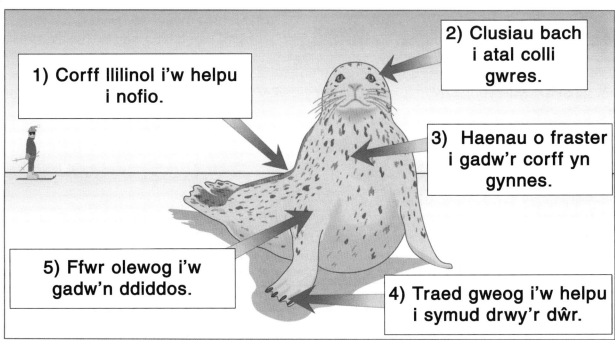

1) Corff llilinol i'w helpu i nofio.

2) Clusiau bach i atal colli gwres.

3) Haenau o fraster i gadw'r corff yn gynnes.

5) Ffwr olewog i'w gadw'n ddiddos.

4) Traed gweog i'w helpu i symud drwy'r dŵr.

Dysgwch am y cynefinoedd hyn — cynefinwch â'r wybodaeth...

Rhaid i anifeiliaid *addasu* i'r lle maen nhw'n byw neu gallent farw. Dychmygwch beth allai ddigwydd i lygoden yr anialwch yn yr Arctig neu i'r morloi yn y Sahara. Cofiwch mai ystyr *cynefin* ydy'r *lle* mae planhigyn neu anifail yn byw. Gall cynefinoedd fod yn fawr — coedwig, neu'n fach — o dan garreg.

Cynefinoedd

Gall llawer iawn o wahanol fathau o anifeiliaid a phlanhigion fyw ochr yn ochr yn yr un *cynefin*. Mae arnyn nhw i gyd angen bwyd i gael egni ac i dyfu. Bydd planhigion yn cael eu bwyd o olau'r haul, yr aer a'r pridd ond rhaid i anifeiliaid fwyta pethau byw eraill fel planhigion ac anifeiliaid eraill.

Cadwynau Bwyd — Pethau byw yn bwydo ar bethau byw eraill

Mewn lluniau o gadwynau bwyd mae'r saethau yn dangos beth sy'n cael ei fwyta gan bwy, neu beth sydd *YN FWYD* i ba anifail.

Cofiwch ─────▶ *yn golygu* — "__YN FWYD I__"

Letysen	Gwlithen	Bronfraith	Hebog

Mae'r letysen
yn fwyd i'r wlithen

Mae'r wlithen
yn fwyd i'r fronfraith

Mae'r fronfraith
yn fwyd i'r hebog

Mae cadwynau bwyd yn defnyddio geiriau gwych

Cofiwch y rhannau pwysig hyn o'r gadwyn fwyd:

1) Planhigion ydy'r __Cynhyrchwyr__

Maen nhw'n *cynhyrchu (gwneud)* eu bwyd eu hunain.

2) Anifeiliaid ydy'r __Ysyddion__

Maen nhw'n cael eu bwyd drwy *ysu (bwyta)* planhigion neu anifeiliaid eraill.

Yn y gadwyn fwyd hon:
Y rhosyn ydy'r *cynhyrchydd* ac mae lleuen y dail, y titw tomos las, a'r hebog yn *ysyddion*.

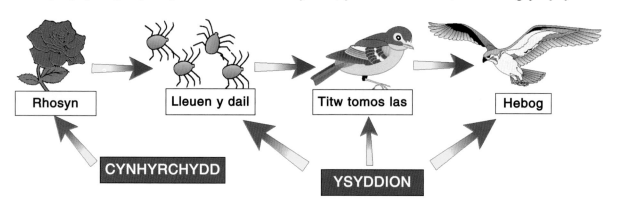

Rhosyn	Lleuen y dail	Titw tomos las	Hebog

CYNHYRCHYDD

YSYDDION

Pwy sy'n bwyta pwy?...

Ystyr cadwynau bwyd ydy beth sy'n bwyta beth. Mae meddwl am *blanhigion* fel *cynhyrchwyr* ac *anifeiliaid* fel *ysyddion* yn edrych yn od ar y dechrau, ond os cofiwch mai planhigion ydy'r *unig* rai sy'n *cynhyrchu* eu *bwyd eu hunain*, yna fydd dim anhawster o gwbl. Cofiwch mai ysyddion ydy'r anifeiliaid i *gyd*, hyd yn oed y rhai gaiff eu bwyta, gan *nad* ydyn nhw'n cynhyrchu eu bwyd eu hunain. Cofiwch hefyd mai ystyr y saeth mewn cadwyn fwyd ydy "*yn fwyd i*" ac nid "*yn bwyta*".

Cynefinoedd

Mae allweddi'n datgloi gwybodaeth

Mae gwyddonwyr yn defnyddio allweddi i *adnabod* planhigion ac anifeiliaid sy'n ddieithr iddyn nhw (a hefyd i fynd a dod o'u cartrefi). Allwedd ydy cyfres o *gwestiynau* sydd â *dau* ateb posibl. Mae'r atebion yn eich arwain i'r cwestiwn nesaf neu at enwi'r creadur dieithr. Clyfar, ynte, rhowch gynnig arni...

Tri chyngor gwerth chweil wrth ddefnyddio allweddi

1) Cymerwch *un* anifail ar y tro.
2) Dechreuwch yn rhif 1) ac ewch drwy'r cwestiynau am yr *anifail hwnnw'n unig*.
3) *Dilynwch* yr *atebion*. Maen nhw'n eich harwain i'r cwestiwn nesaf neu'n enwi'r anifail.

Rhowch gynnig arni. Ceisiwch ganfod y grŵp mae'r anifeiliaid canlynol yn perthyn iddo.

1) Oes ganddo esgyll?	OES	PYSGODYN		3) Oes ganddo ffwr neu flew?	OES	MAMOLYN
	NAC OES	ewch i (2)			NAC OES	ewch i (4)
2) Oes ganddo blu?	OES	ADERYN		4) Oes ganddo groen sych, cennog?	OES	YMLUSGIAD
	NAC OES	ewch i (3)			NAC OES	AMFFIBIAD

Atebion: a = amffibiad, b = pysgodyn, c = mamolyn, ch = aderyn, d = ymlusgiad

Allweddi canghennog

Gallwch ddangos yr allwedd fel patrwm canghennog. Yn yr un ffordd, dilynwch y llinell. Rhowch gynnig ar hwn.

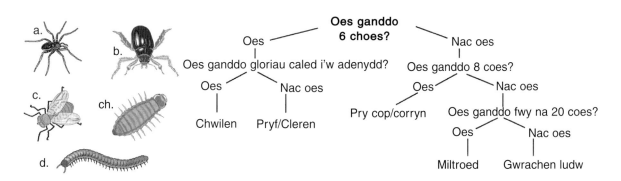

Atebion: a = pry cop/corryn, b = chwilen, c = pryf/cleren, ch = gwrachen ludw, d = miltroed

Defyddiwch allweddi — i ddatgloi atebion...

Ni fydd disgwyl i chi allu llunio allwedd ond rhaid i chi allu *dilyn* un i *adnabod* rhyw greadur dieithr. Mae'n *hawdd*, a dweud y gwir — dim ond i chi gofio'r *cynghorion* uchod. Cofiwch ddilyn allwedd o *gam i gam* a *pheidio* edrych ar y lluniau'n unig a *dyfalu*.

Micro-Organebau

Pethau byw bychain iawn ydy microbau

1) Ni ellir gweld microbau neu'r *micro-organebau* ond drwy'r *microsgop*.
2) Mae yna filiynau o ficrobau yn y *pridd*, yn yr *aer*, mewn *dŵr* a hyd yn oed yn y *corff dynol*.
3) Mae rhai microbau yn *DDEFNYDDIOL* a rhai'n *NIWEIDIOL*.
4) *Microbau* ydy bacteria a firysau.

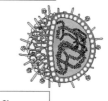

firws

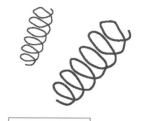

bacteria

Yr enw anwyddonol ar y rhain yw "*germau*"

Mae microbau defnyddiol yn gwneud gwaith pwysig

2) Mae bacteria yn pydru organebau marw ac yn rhoi maetholynnau yn y pridd i helpu planhigion i dyfu.

1) Bacteria sy'n helpu i wneud finegr, caws a iogwrt.

(Diolch byth nad oes yna gyrff marw dan draed ym mhobman!)

3) Microb ydy burum: caiff ei ddefnyddio i wneud cwrw a bara.

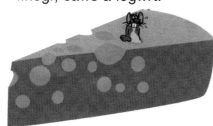

Gall microbau niweidiol achosi clefydau

1) Maen nhw'n achosi *clefydau* ac *afiechyd*: y ffliw, annwyd, y frech goch, brech yr ieir, Aids, tetanws, etc.
2) Mae microbau yn achosi *dannedd drwg (pydredd dannedd)*.

Pedair ffordd o wasgaru clefyd

pesychu pesychu pesychu

1) Pesychu a thisian

2) Cyffwrdd pobl a phethau heintus

3) Pigiadau pryfed

4) Bwyd heintus

Micro-Organebau

Yn y gegin — byddwch yn *synhwyrol* gyda *bwyd*

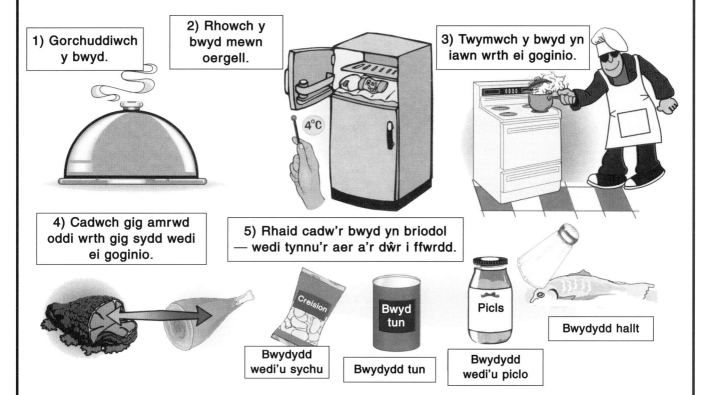

1) Gorchuddiwch y bwyd.

2) Rhowch y bwyd mewn oergell.

3) Twymwch y bwyd yn iawn wrth ei goginio.

4) Cadwch gig amrwd oddi wrth gig sydd wedi ei goginio.

5) Rhaid cadw'r bwyd yn briodol — wedi tynnu'r aer a'r dŵr i ffwrdd.

Bwydydd wedi'u sychu

Bwydydd tun

Bwydydd wedi'u piclo

Bwydydd hallt

Gartref — byddwch yn *synhwyrol* gyda *hylendid personol*

1) Golchwch eich dwylo ar ôl bod yn y toiled.

2) Peidiwch â thisian a phesychu ar bobl.

peswch!

Yn y feddygfa — *defnyddir moddion i ymladd microbau*

Defnyddir moddion ar ffurf brechiadau a moddion gwrthfiotig fel tabledi/pils neu fel pigiadau — i ymladd microbau sy'n achosi gwaeledd.

Microbau a heintiau — *fy hoff destun...*

Mae'n bwysig eich bod yn gwybod sut yr achosir clefydau, er mwyn i chi eu hosgoi. Fel y gwelwch, *synnwyr cyffredin* ydy ymladd haint yn y cartref. Cofiwch fod microbau yn amlhau fel tân gwyllt mewn pethau sy'n *gynnes* ac yn agored i'r *aer*. Cofiwch hefyd nad ydy'r microbau i gyd yn *niweidiol* — mae rhai'n *ddefnyddiol* iawn i ni.

Adolygu Adran 1

Mae hon yn glamp o adran — *popeth* fydd angen i chi ei wybod am fywyd a mwy. Y cyfan sydd ar ôl i chi ei wneud yn awr yw *ei ddysgu*... Gwnaed ymdrech i baratoi cwestiynau gwych ar eich cyfer a bydd yn rhaid i chi geisio eu hateb *dro ar ôl tro*. Maen nhw'n profi a ydych chi'n gwybod y prif ffeithiau. I ffwrdd â chi...

1) Enwch saith proses bywyd.
2) Dywedwch *pa fath* o ddannedd sy'n gwneud hyn:
      a) torri/brathu   b) gwasgu a malu'n fân   c) rhwygo/dal gafael.
3) Enwch *bedair ffordd* o osgoi pydredd dannedd.
4) Enwch y *saith* grŵp bwyd.
5) Rhowch *dri rheswm* pam mae ymarfer corff yn bwysig.
6) Mae alcohol ac ysmygu yn beryglus i iechyd. Pa un sy'n achosi *canser yr ysgyfaint* a pha un sy'n *niweidio'r iau/afu*?
7) Enwch ddau organ sy'n cael gwared o wastraff.
8) Pa organ sy'n pwmpio'r gwaed o gwmpas y corff?
9) Pa *nwy* mae'r gwaed yn ei *gymryd* o'r ysgyfaint a pha nwy mae'n ei *roi* i'r ysgyfaint?
10) Beth ydy *enw'r* tiwb sy'n cario *nwyon* i mewn ac allan o'r ysgyfaint?
11) Pam y mae gennych sgerbwd?
12) Mae cyhyrau bob amser yn gweithio mewn parau. Pan fydd un cyhyr yn cyfangu, beth mae'r *cyhyr arall* yn ei wneud?
13) Enwch y prif *gyfnodau* yng nghylchred bywyd bod dynol.
14) Enwch 4 rhan bwysig planhigyn.
15) Ym mha *ran* o'r planhigyn mae'r *organau atgenhedlu*?
16) Gyda beth mae'n rhaid i'r *wy* uno i wneud *hedyn*?
17) Beth ydy eginiad: *gwlad*, *afiechyd* neu *hedyn* yn dechrau tyfu?
18) Beth ydy *enw'r lle* mae planhigyn neu anifail yn byw ynddo?
19) Sut mae cactws wedi *addasu* i fyw mewn *cynefin o anialwch*?
20) Enwch *un* addasiad sydd gan forlo fel y gall fyw mewn *rhannau oer o'r môr*.
21) Enwch *un* addasiad sydd gan lygoden yr anialwch fel y gall fyw mewn *cynefin o anialwch*.
22) Beth ydy ystyr saeth mewn *cadwyn fwyd*?
23) Pa fath o organebau sydd bob amser yn gynhyrchwyr?
24) Beth mae ysyddion yn ei fwyta?
25) Defnyddiwch yr *allwedd* i ganfod enwau pob un o'r creaduriaid dieithr hyn.

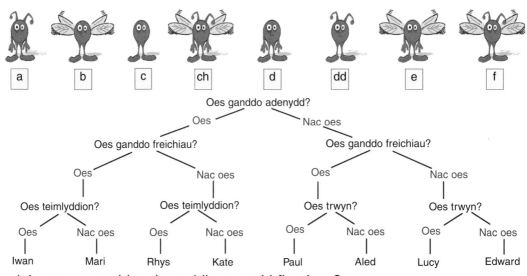

26) Beth ydy'r enw *anwyddonol* a roddir yn aml i ficrobau?
27) Enwch *dair ffordd* y mae microbau'n ddefnyddiol i ni.
28) Enwch ddau grŵp o *foddion* a ddefnyddir gan feddygon i ymladd microbau.

Naturiol neu Synthetig

Mae popeth yn y byd wedi ei wneud o *DDEFNYDDIAU*.

1) Mae rhai pethau wedi eu gwneud o *ddefnyddiau naturiol*

a) Mae rhai *DEFNYDDIAU NATURIOL* i'w cael *O DAN WYNEB Y DDAEAR*

er enghraifft:

Olew

Craig

Metelau a cherrig gwerthfawr

Llechi

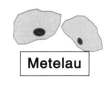

Metelau

Clai

b) Mae rhai *DEFNYDDIAU NATURIOL* i'w cael o *BETHAU BYW*

er enghraifft:

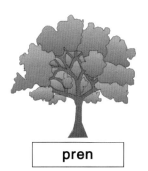

pren

cotwm

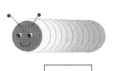

sidan

gwlân

2) Mae rhai pethau wedi eu gwneud o *ddefnyddiau synthetig*

er enghraifft:

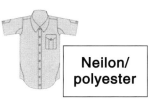

Neilon/ polyester

Plastig

Ffabrig gwlân

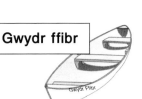

Gwydr ffibr

O waith dyn? Pwy fi?

Cofiwch mai byd o ddefnyddiau ydy ein byd ni...

Cofiwch fod *defnyddiau* yn golygu'r hyn mae pethau wedi'u gwneud *ohonynt*. Gelwir hwy'n ddefnyddiau os ydyn nhw'n naturiol neu'n synthetig (wedi eu gwneud gan ddyn). Cofiwch y gall defnyddiau naturiol fod wedi eu gwneud o *bethau byw* neu *bethau marw*. Gellir cyfuno defnyddiau i greu defnyddiau newydd, gwydr er enghraifft.

Cymharu Defnyddiau

Mae gan ddefnyddiau *briodweddau* sy'n eu gwneud yn *ddefnyddiol*

Rhaid gallu disgrifio a chymharu priodweddau defnydd a dweud pam mae'n cael ei ddefnyddio i bwrpas arbennig. Rydyn ni'n defnyddio defnyddiau arbennig i wneud gwaith arbennig...

1) Am eu bod yn *GRYF (cadarn)*

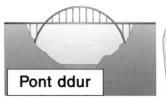

Pont ddur

Cannydd

Cynhwysydd plastig

2) Am eu bod yn *GALED*
   (anodd i'w crafu)

Torrwr diemwnt

Pen morthwyl metel

3) Am eu bod yn *HYBLYG (yn plygu)*

Gwialen bysgota

Belt lledr

4) Am eu bod yn *ANHYBLYG (anystwyth)*

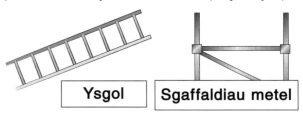

Ysgol

Sgaffaldiau metel

5) Am eu bod yn *DRYLOYW*
   (gellir gweld drwyddynt)

Gwydr

6) Am eu bod yn *AMSUGNOL*
   (yn sugno hylifau)

Wadin papur

Tywel/ lliain sychu

7) Am eu bod yn *YMESTYN*

Ffabrig sy'n ymestyn

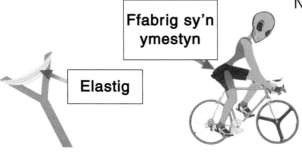

Elastig

NEU 8) Oherwydd y gellir eu *CYWASGU*
   (gwasgu i lawr)

Sbring metel

Byddwch gryf a chaled — dysgwch bob un o'r geiriau hyn...

Rydyn ni'n dewis gwahanol ddefnyddiau i bwrpasau gwahanol gan fod eu priodweddau arbennig yn eu gwneud yn addas. Fyddai hi'n *dda i ddim* i chi geisio sychu eich hunan â *darn o blastig*, neu daro hoelen â *chlustog*, na fyddai? Mae pethau wedi cael eu gwneud o ddefnyddiau gwahanol am resymau arbennig... sylwch ar eu priodweddau.

Dargludyddion ac Ynysyddion Gwres

1) Mae rhai defnyddiau'n gadael i wres fynd drwyddyn nhw'n hawdd

1) Yr enw ar y defnyddiau hyn ydy *DARGLUDYDDION THERMOL.*
2) Mae *METELAU* yn *DDARGLUDYDDION THERMOL* da.
3) Am fod gwres yn symud drwyddyn nhw'n gyflym
   — mae metelau fel arfer yn teimlo'n *OER.*

2) Dydy rhai defnyddiau ddim yn gadael i wres fynd drwyddyn nhw

1) Yr enw ar ddefnyddiau sydd ddim yn gadael i wres fynd drwyddyn nhw ydy
   YNYSYDDION THERMOL.

Tegell plastig	Stand corcyn i botyn	Handlen bren	Maneg bobty	Fest thermol

2) Mae plastig, corcyn, pren a ffabrigau'n *YNYSYDDION THERMOL* da.
3) Mae ynysyddion thermol yn dda i gadw gwres *ALLAN* yn ogystal ag i *MEWN.*

GWRES ALLAN

Blwch oer

Cadw'n oer

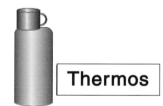

Thermos

GWRES I MEWN

Cwpan polystyren

Cadw'n boeth

YN GWNEUD Y DDAU

YNYSYDD DA = DARGLUDYDD GWAEL

3) Mae gwres yn symud o ddefnydd cynnes i ddefnydd oer

POETH

OER

GWRES

Mae gwres fel ymwelydd — mae'n hoffi teithio...

Cofiwch mai *dim ond* teithio o bethau *poeth* i bethau *oerach* mae gwres, *byth* y ffordd arall. Mae rhai pethau'n gadael i wres fynd drwyddynt yn hawdd a rhai ddim yn gwneud hynny. Meddyliwch am sosban — mae'r gwres yn mynd drwy'r *sosban* i'r bwyd, ond *dydy e ddim* yn mynd drwy'r *handlen* at eich bysedd. Cofiwch y gall y defnyddiau sy'n cadw gwres allan o rywbeth hefyd gadw gwres i mewn ynddo.

Dargludyddion ac Ynsyddion Trydan

1) *Mae dargludyddion yn gadael i drydan lifo drwyddyn nhw*

1) Yr enw ar ddefnyddiau sy'n gadael i drydan lifo drwyddyn nhw ydy *dargludyddion* — maen nhw'n *dargludo* trydan.
2) Mae *metelau* fel copr, haearn, dur ac alwminiwm i gyd yn ddargludyddion trydan da.

2) *Dydy ynysyddion ddim yn gadael i drydan lifo drwyddyn nhw*

1) Yr enw ar ddefnyddiau sydd *ddim* yn gadael i drydan lifo drwyddyn nhw ydy *ynysyddion* — dydyn nhw ddim yn dargludo trydan.
2) Mae pren, plastig, gwydr a rwber i gyd yn ynysyddion.

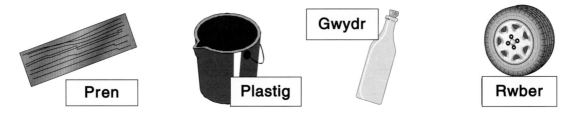

Pren **Plastig** **Gwydr** **Rwber**

3) *Mae gwaith pwysig gan ynysyddion a dargludyddion*

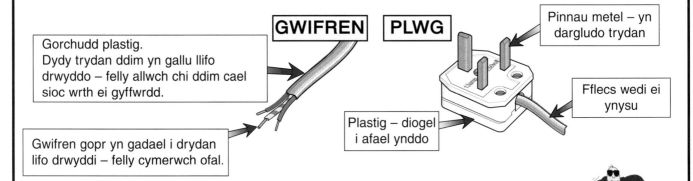

GWIFREN **PLWG**

Gorchudd plastig.
Dydy trydan ddim yn gallu llifo drwyddo – felly allwch chi ddim cael sioc wrth ei gyffwrdd.

Gwifren gopr yn gadael i drydan lifo drwyddi – felly cymerwch ofal.

Pinnau metel – yn dargludo trydan

Fflecs wedi ei ynysu

Plastig – diogel i afael ynddo

4) *Gall trydan fod yn beryglus*

Ddylech chi ddim cyffwrdd *unrhyw beth* trydanol â dwylo gwlyb — yn cynnwys *switshis*. Gall trydan gael ei ddargludo drwy chwys (dŵr a halen) i'ch corff gan roi sioc drydanol i chi, a dydy hynny ddim yn jôc.

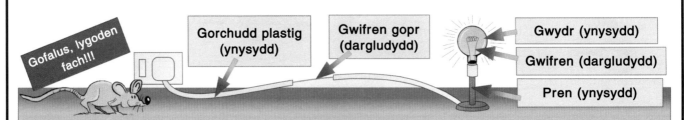

Gofalus, lygoden fach!!!

Gorchudd plastig (ynysydd)

Gwifren gopr (dargludydd)

Gwydr (ynysydd)

Gwifren (dargludydd)

Pren (ynysydd)

Dysgwch am drydan — peidiwch â gadael iddo roi sioc i chi...

Rhaid i chi wybod pa ddefnyddiau sy'n dargludo trydan, a pha ddefnyddiau sy'n ynysyddion. Cofiwch sut y byddech yn gwneud *cylched* i brofi defnyddiau i ganfod ydyn nhw'n dargludo trydan. Peidiwch byth ag anghofio y gall y prif gyflenwad trydan fod yn *beryglus* iawn, felly dysgwch y rheolau diogelwch.

Creigiau a Phriddoedd

Mae creigiau o'n cwmpas ym mhob man — dan y ddaear, ar y traethau, mewn gerddi, mewn adeiladau, mewn waliau, mewn chwareli a mynwentydd. Maen nhw'n ddefnyddiol iawn ac wedi bod felly erioed.

Dydy pob craig ddim yr un fath

1) Mae rhai creigiau'n *GALED*.

2) Mae rhai creigiau'n *FEDDAL*.

3) Mae rhai creigiau'n *ANATHRAIDD*.

   (Dydyn nhw DDIM yn gadael i ddŵr DREIDDIO drwyddyn nhw).

4) Mae rhai creigiau'n *ATHRAIDD*.

   (Maen nhw'n gadael i ddŵr DREIDDIO drwyddyn nhw).

SIALC

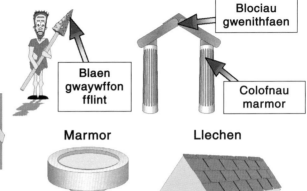

Blaen gwaywffon fflint

Blociau gwenithfaen

Colofnau marmor

Marmor

Llechen

Sialc

Calchfaen

Cafodd pridd ei greu o bedwar peth

CREIGIAU WEDI MALU + HWMWS + AER + DŴR

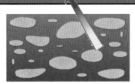

Defnyddiau sydd wedi marw ac wedi pydru ydy hwmws.

Mae priddoedd yn wahanol oherwydd fod y creigiau i gyd yn wahanol

Mae'n dibynnu pa *fath o graig wedi treulio* y daw'r pridd ohoni.

PRIDD GRAEANOG
Yn llawn o gerrig mân, felly mae dŵr yn draenio drwyddo'n gyflym.

PRIDD TYWODLYD
Ysgafn a sych gyda bylchau aer fel y gall dŵr ddraenio drwyddo'n gyflym.

PRIDD CLEIOG
Yn ludiog iawn pan fydd yn wlyb ac yn bridd trwm.
Dydy dŵr ddim yn draenio drwyddo'n gyflym.

Creigiau — mwy o waith caled...

Mae digon o eiriau i chi eu dysgu yma, ac mae rhai ohonyn nhw'n edrych yn hir a chymhleth. Ystyr *anathraidd* ydy ei bod yn amhosibl i ddŵr dreiddio drwodd, felly ystyr *athraidd* ydy ei bod yn bosibl i ddŵr dreiddio drwodd. Gwnewch yn siŵr eich bod yn gwybod beth sy'n creu pridd. Peidiwch ag anghofio *aer* a *dŵr* — maen nhw'n bwysig iawn.

Priodweddau Solidau, Hylifau a Nwyon

Mae **SOLIDAU** .... yn hawdd eu rheoli

3) Gellir torri a siapio solidau.

1) Mae'r holl ronynnau mewn solidau wedi eu pacio'n agos i'w gilydd fel na allan nhw symud llawer.

Help!! Rwy'n cael fy ngwasgu i mewn yma!!

2) Mae solidau'n cadw eu siâp...

4) Mae unrhyw beth y gallwch afael ynddo yn solid.

Mae **HYLIFAU**

...yn anoddach i'w rheoli. Maen nhw eisiau rhedeg i ffwrdd o hyd!!

3) Mae hylifau yn cymryd siâp eu cynhwysydd.

1) Dydy'r gronynnau mewn hylifau ddim wedi'u pacio mor agos ac maen nhw'n gallu symud ychydig.

Maddeuwch i mi!! Rwyf am fynd heibio!!

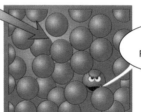

2) Mae hylifau yn rhedegog. Maen nhw'n llifo i lawr.

4) Mae arwyneb hylif mewn cynhwysydd yn aros yn wastad.

Mae **NWYON**

...yn anodd iawn i'w rheoli. Maen nhw eisiau dianc o hyd!!

3) Mae'r rhan fwyaf o nwyon yn anweledig.

1) Mae gan y gronynnau mewn nwyon ddigon o le ac maen nhw'n symud o gwmpas drwy'r amser.

Hwre!! Mae hyn yn hwyl!!

2) Mae nwyon o'n cwmpas ym mhob man, ac yn lledaenu i unrhyw leoedd gwag.

4) Gallwch wneud eich nwy eich hun hyd yn oed.

Torri gwynt!! Pardwn!!

Solidau, hylifau a nwyon — tri am bris un...

Mae'n bwysig *dysgu'r* holl *fanylion* ar y dudalen hon i wneud yn siŵr eich bod chi'n *wir* yn deall y gwahaniaeth rhwng solidau, hylifau a nwyon. Mae'n rhyfedd meddwl eu bod i gyd wedi eu gwneud o ronynnau bychain, ond os gallwch eu hystyried felly, fe fydd yn help mawr i chi.

Dŵr yn Newid Cyflwr

Tymheredd — pa mor boeth neu oer

1) Mae *tymheredd* yn dangos pa mor *boeth* neu *oer* ydy rhywbeth.

2) Rydyn ni'n defnyddio *thermomedr* i fesur *tymheredd*.

3) Rydyn ni'n mesur *tymheredd* mewn *graddau Celsius* — °C.

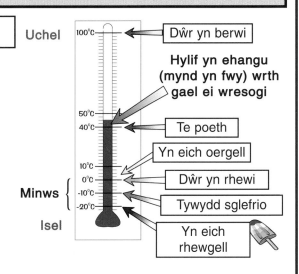

Uchel

Dŵr yn berwi

Hylif yn ehangu (mynd yn fwy) wrth gael ei wresogi

Te poeth

Yn eich oergell

Dŵr yn rhewi

Tywydd sglefrio

Minws

Isel

Yn eich rhewgell

Mae gan ddŵr *dair* ffurf gwahanol

Mae'r ffurf *(neu'r cyflwr)* mae dŵr ynddo yn dibynnu ar y tymheredd.

1) Dŵr Solid — Rhew/Iâ

1) Mae dŵr yn *rhewi* ar 0°C

2) Mae dŵr yn *ehangu* pan fydd yn rhewi.

3) Mae rhew/iâ yn gallu *arnofio*.

2) Dŵr Hylifol — Dŵr!

1) Mae dŵr yn dda i *hydoddi* defnyddiau ynddo.

2) Mae gan ddŵr *arwyneb* sydd fel *croen tenau* y gall rhai pryfed gerdded arno.

3) Gall dŵr fod ar siâp *defnynnau*.

4) Defnynnau bychain yn yr aer ydy *anwedd* dŵr.

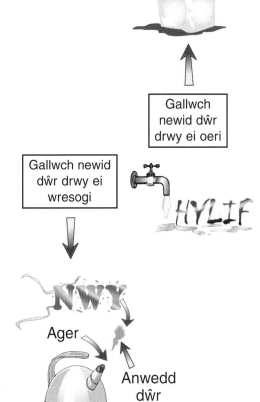

Gallwch newid dŵr drwy ei oeri

Gallwch newid dŵr drwy ei wresogi

Ager

Anwedd dŵr

3) Dŵr Nwyol — Ager

1) Mae dŵr yn *berwi (yn troi'n ager)* ar 100°C.

2) Mae *nwyol* yn golygu — fel *nwy*.

3) Mae ager yn *beryglus* iawn. Gall eich llosgi'n ddrwg.

Dŵr, dŵr, dŵr...

Ceisiwch ddeall sut mae graddfa Celsius yn dangos i ni pa mor boeth neu oer ydy rhywbeth. Mae'r rhifau ar y raddfa yn rhifau *negatif (o dan sero)* pan fydd pethau'n oer iawn. Cofiwch mai *cyflyrau* neu *ffurfiau* ar ddŵr ydy rhew, dŵr ac ager. Rhaid cofio hefyd ar ba dymheredd mae dŵr yn *rhewi* ac yn *berwi* ac nad ydy dŵr yn diflannu wrth anweddu, ond yn newid i fod yn nwy.

Newidiadau Ffisegol

Mae rhai newidiadau yn newidiadau ffisegol

Dydy'r defnyddiau ddim yn chwalu, newid eu golwg a'u teimlad maen nhw.
Maen nhw'n newid dros dro. Er enghraifft:

iym, iym

1) Siocled yn *ymdoddi*.

2) Dŵr yn *rhewi*.

3) Anwedd dŵr yn *cyddwyso* ar ddrych oer.

4) Pyllau dŵr yn *anweddu* i'r aer.

Gellir cildroi newidiadau ffisegol (eu newid yn ôl)

Gall gwresogi defnyddiau achosi newid ffisegol

Mae pethau'n ymdoddi wrth gael eu gwresogi, ac yn edrych yn wahanol

Er enghraifft, mae *SOLIDAU* yn newid yn *HYLIFAU*.

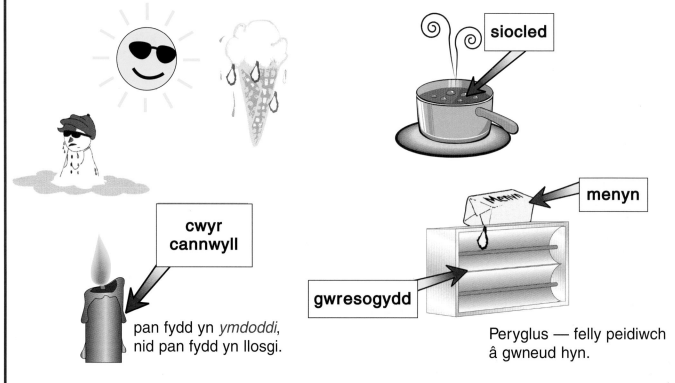

siocled

menyn

cwyr
cannwyll

gwresogydd

pan fydd yn *ymdoddi*,
nid pan fydd yn llosgi.

Peryglus — felly peidiwch
â gwneud hyn.

Gallech eu newid yn *ôl* pe baech yn eu hoeri. Gall y newidiadau hyn gael eu *CILDROI*.

Newidiadau Ffisegol

Mae *oeri* defnyddiau'n gallu achosi *newidiadau ffisegol*

Pan ydych chi'n *oeri* hylif, mae'n newid yn *solid*

Yr enw am y newid o hylif i solid yw *rhewi*.

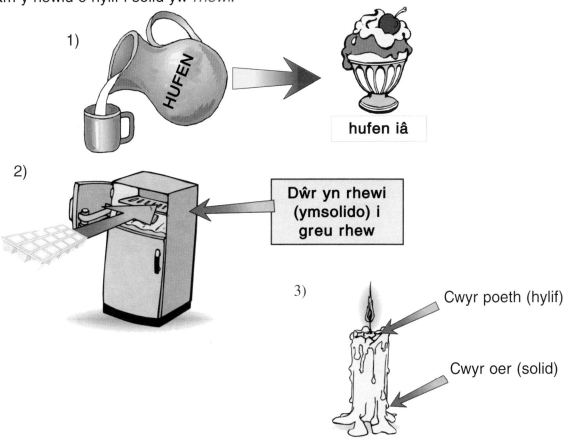

1) HUFEN

hufen iâ

2)

Dŵr yn rhewi (ymsolido) i greu rhew

3)

Cwyr poeth (hylif)

Cwyr oer (solid)

Pan ydych chi'n *oeri* solidau meddal maen nhw'n mynd yn *galed*

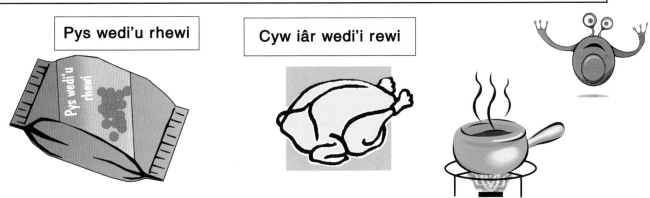

Pys wedi'u rhewi

Cyw iâr wedi'i rewi

Gallwch *gildroi'r* newidiadau hyn drwy ychwanegu *GWRES*.

Newidiadau ffisegol — gellir eu newid yn ôl...

Rydych chi'n gwybod bod solidau'n ymdoddi pan fyddan nhw'n ddigon poeth, ac yn mynd yn ôl yn solidau pan fyddan nhw wedi oeri — rydych chi wedi gweld dŵr yn *rhewi* a rhew'n *ymdoddi*. Cofiwch y *gall* y newidiadau hyn gael eu *cildroi*, dydy'r dŵr ddim yn aros yn rhew wrth gynhesu eto. Cofiwch mai'r *cyflwr* mae rhywbeth ynddo ydy solid, hylif a nwy ac y gelwir y newidiadau mewn cyflwr yn *newidiadau ffisegol*.

Y Gylchred Ddŵr

Anweddiad a chyddwysiad dŵr ydy'r gylchred ddŵr

1) Mae'r dŵr yma ar y Ddaear yn ailgylchu'n gyson. Rhyfedd ond gwir...
2) Pan fydd y tymheredd yn gostwng yn isel, gall defnynnau glaw ddisgyn fel eira neu genllysg yn hytrach na glaw.

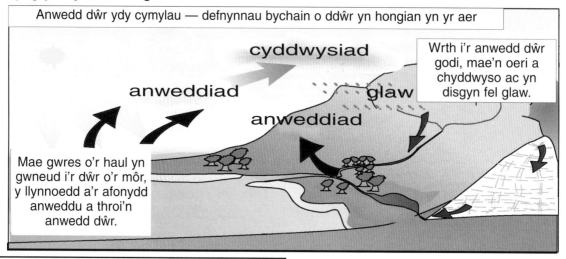

Anwedd dŵr ydy cymylau — defnynnau bychain o ddŵr yn hongian yn yr aer

cyddwysiad

anweddiad

glaw

anweddiad

Wrth i'r anwedd dŵr godi, mae'n oeri a chyddwyso ac yn disgyn fel glaw.

Mae gwres o'r haul yn gwneud i'r dŵr o'r môr, y llynnoedd a'r afonydd anweddu a throi'n anwedd dŵr.

Anweddiad — troi i fod yn nwy

1) Gall yr haul wresogi dŵr. Mae'r dŵr yn mynd i'r aer — nid yw'n diflannu. Mae'r dŵr yn *anweddu* yn nwy.

Pwll

2) Mae'r dŵr o ddillad gwlyb yn *anweddu* i'r aer.

MAE HYLIF YN *ANWEDDU* YN NWY PAN GAIFF EI *WRESOGI*

Cyddwysiad — troi nwy'n ôl yn hylif

Drych oer

Anwedd dŵr mewn aer poeth

Defnynnau dŵr

1) Mae anwedd dŵr yn yr aer yn *oeri* ac yn troi'n ddefnynnau dŵr.
2) Mae'r anwedd dŵr yn *cyddwyso*.

MAE NWY YN *CYDDWYSO* YN HYLIF PAN GAIFF EI *OERI*

Cylchred Ddŵr — mae'n swnio fel olwyn ddŵr enfawr...

Cofiwch fod rhew, dŵr ac ager i gyd yn *ffurfiau* ar ddŵr. Rhaid i chi wybod y geiriau *anweddiad* a *cyddwysiad*. Cofiwch *nad ydy* dŵr yn diflannu pan fydd yn anweddu, ond yn hytrach yn troi'n nwy. Edrychwch yn ofalus ar y diagram o gylchred ddŵr a cheisiwch *ddilyn* y dŵr ar ei daith o amgylch y llun.

Hydoddi

Hydawdd — yn hydoddi

1) Mae halen yn hydoddi'n llwyr mewn dŵr i wneud *hydoddiant.*
2) Mae halen yn *hydawdd* mewn dŵr.
3) Sylweddau *(defnyddiau)* hydawdd eraill ydy siwgr a choffi parod.

halen

dŵr hallt (hydoddiant)

dŵr

Anhydawdd — ddim yn hydoddi

1) Dydy pridd *ddim yn hydoddi* mewn dŵr. Bydd peth o'r pridd yn parhau ar y gwaelod *heb hydoddi.*
2) Bydd gweddill y gronynnau pridd yn arnofio yn y dŵr, ond fyddan nhw ddim yn hydoddi — mae pridd yn *anhydawdd* mewn dŵr.
3) Esiamplau eraill ydy sialc, clai, tywod, cwyr ac olew.

Pridd

Darn o bren

Dydy hwn ddim yn gweithio!!

Mae solidau'n hydoddi'n well mewn *dŵr poeth*

POWDR GOLCHI

Alla i ddim cael trochion, mam!!!

Rhaid i ti ychwanegu dŵr POETH!!

Mae *troi yn helpu* solidau *i hydoddi*

Mae hyn yn cymysgu'r *solid* a'r *hylif* yn well — felly mae'n hydoddi'n gynt.

Troi

Mae yna *ben draw* ar *faint sy'n gallu* hydoddi

Pan ychwanegwch halen at ddŵr, mae yna bwynt yn dod pan *na allwch hydoddi mwy.*

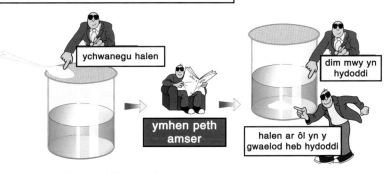

ychwanegu halen

ymhen peth amser

dim mwy yn hydoddi

halen ar ôl yn y gwaelod heb hydoddi

Mae faint o solid allwch chi ei ychwanegu cyn i hyn ddigwydd yn wahanol ar gyfer gwahanol solidau.

Ceisiwch hydoddi hyn oll yn eich ymennydd...

Mae hyn i gyd yn ymwneud â beth sy'n hydoddi a beth sydd ddim yn hydoddi. Cofiwch *nad ydy pethau'n diflannu* pan fyddan nhw'n hydoddi. Rydw i'n dweud hyn eto, ond mae rhai'n dal i ysgrifennu eu bod nhw'n diflannu. Synnwyr cyffredin, yn siŵr, ydy'r pethau mae'n rhaid eu gwneud i helpu rhywbeth i hydoddi, efallai y bydd y diagramau gwych o'r dyn a'r bicer o help mawr i chi gofio. Dysgwch gan wenu.

Gwahanu Solidau a Hylifau

Gogru/Rhidyllu — gwahanu'r darnau mawr oddi wrth y darnau bach

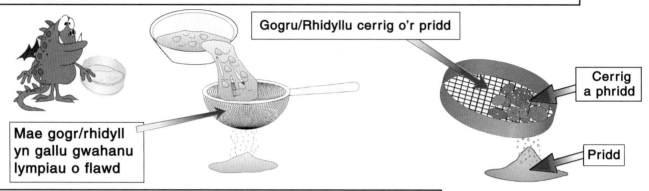

Gogru/Rhidyllu cerrig o'r pridd

Cerrig a phridd

Mae gogr/rhidyll yn gallu gwahanu lympiau o flawd

Pridd

Ardywallt — gwahanu solid oddi wrth hylif

Yn yr Hen Aifft roedd dŵr yn cael ei gasglu o afon Nîl mewn jariau mawr. Byddai'r rhain yn cael eu gadael yn sefyll er mwyn i'r mwd, tywod a silt suddo i waelod y jar.

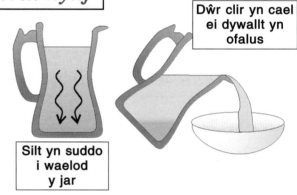

Dŵr clir yn cael ei dywallt yn ofalus

Silt yn suddo i waelod y jar

Hidlo — gwahanu darnau solid oddi wrth hylif

Gall colandr wahanu pys oddi wrth ddŵr berwedig.

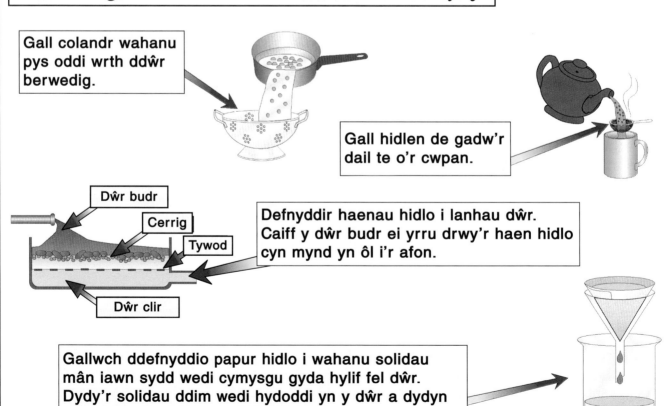

Gall hidlen de gadw'r dail te o'r cwpan.

Dŵr budr

Cerrig

Tywod

Defnyddir haenau hidlo i lanhau dŵr. Caiff y dŵr budr ei yrru drwy'r haen hidlo cyn mynd yn ôl i'r afon.

Dŵr clir

Gallwch ddefnyddio papur hidlo i wahanu solidau mân iawn sydd wedi cymysgu gyda hylif fel dŵr. Dydy'r solidau ddim wedi hydoddi yn y dŵr a dydyn nhw ddim yn gallu mynd drwy'r papur.

Gwahanu Solidau a Hylifau

Anweddu — gwahanu solidau hydawdd oddi wrth ddŵr

Gyda the, all y dail te ddim mynd drwy'r bag, ond mae'r cyflasyn brown wedi hydoddi yn y dŵr ac yn gallu symud drwy'r hidlydd. Mae hyn yn iawn i yfed y te, ond fawr o werth os ydych chi eisiau gwahanu'r cyflasyn oddi wrth y dŵr. Dilynwch y diagram i weld beth i'w wneud. Hwyl.

Bag te'n dal y dail te mawr

(Gallwch wresogi ac anweddu'r dŵr drwy ddefnyddio fflam, neu drwy roi'r dŵr a'r solid mewn dysgl lydan a'i gadael mewn lle cynnes.)

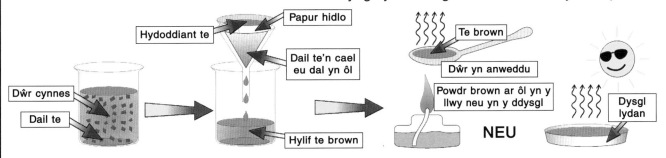

Gwahanu cymysgedd o halen, tywod a dŵr

Mae'r cymysgedd yn cynnwys *solid hydawdd (halen)*, *solid anhydawdd (tywod)*, a *dŵr*. I wahanu cymysgedd o wahanol ddefnyddiau o'r fath, rhaid i chi *hidlo* ac *anweddu'r* cymysgedd.

1) HIDLO — rhaid hidlo'r cymysgedd o halen, tywod a dŵr i dynnu'r *tywod* i ffwrdd. Yna mae'r dŵr hallt yn mynd drwy'r hidlydd i'r bicer.

2) ANWEDDU — rhaid *cynhesu'r* cymysgedd o halen a dŵr i anweddu'r *dŵr*.

3) CYDDWYSO — rhaid *oeri'r* anwedd dŵr i'w droi'n ôl yn *hylif*.

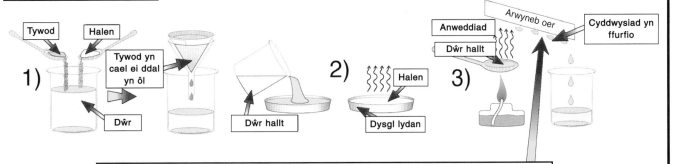

Os ydych chi angen y dŵr, ac nid am ei golli i'r aer, yna rhaid i chi ei gasglu drwy ei GYDDWYSO ar ARWYNEB OER.

Cymysgeddau — angen meddwl clir...

Mae angen i chi wybod beth i'w wneud i *wahanu* solidau oddi wrth ddŵr. Cofiwch ei fod yn dibynnu a ydy'r solid wedi *hydoddi* yn y dŵr. Gwell i mi eich atgoffa hefyd nad ydy pethau ddim yn diflannu pan fyddan nhw'n hydoddi. Maen nhw yna o hyd, felly, os anweddwch chi'r hylif, cewch y solid yn ôl.

Newidiadau Cemegol

Mae rhai newidiadau yn newidiadau cemegol

Mewn newid cemegol, mae'r defnyddiau'n chwalu'n llwyr. Maen nhw'n newid yn gyfan gwbl yn rhywbeth arall. Mae'r newid hwn yn un *parhaol* — ni allwch ei newid yn ôl.

Er enghraifft:

1) Pren a phapur yn *llosgi'n* lludw.
2) Cynhwysion yn cael eu *coginio*.
3) Planhigion ac anifeiliaid marw'n *pydru'n* hwmws.
4) Rhai metelau'n *cyrydu (rhydu)*.
5) Clai yn cael ei *grasu'n* botyn.

Allwch chi ddim cildroi newidiadau cemegol

Mae rhai pethau'n coginio wrth gael eu gwresogi –

ac yn newid yn llwyr

Newid cemegol ydy coginio gan ei fod yn newid parhaol. Allwch chi ddim cael y cynhwysion yn ôl eto unwaith y maen nhw wedi'u coginio.

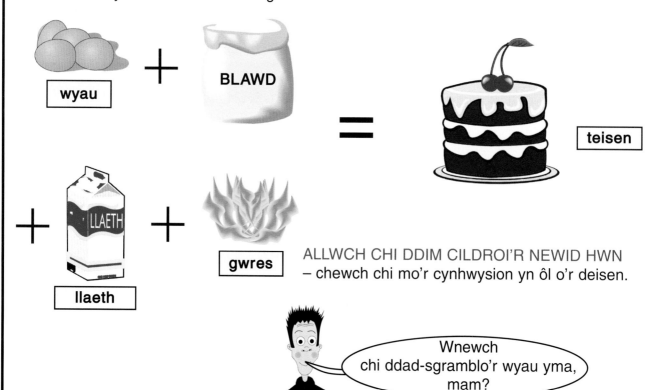

wyau + BLAWD = teisen

+ llaeth + gwres

ALLWCH CHI DDIM CILDROI'R NEWID HWN
– chewch chi mo'r cynhwysion yn ôl o'r deisen.

Wnewch chi ddad-sgramblo'r wyau yma, mam?

Newidiadau Cemegol

Mae rhai pethau'n *llosgi* wrth gael eu *gwresogi*

Pan *losgir* defnyddiau, maen nhw'n *newid yn llwyr*.
Allwch chi ddim cildroi newidiadau a wnaed drwy *losgi*.

Llosgi tanwydd — newid *cemegol* pwysig

1) Mae *pren, glo* a *nwy'n* llosgi i gynhyrchu egni gwres.

2) Gall hwn gael ei drawsnewid (newid) yn *drydan*.

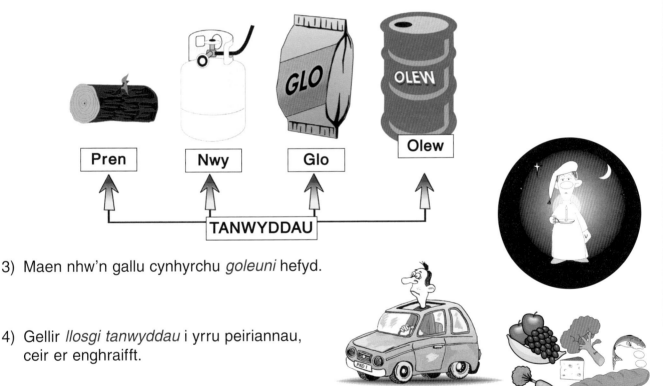

3) Maen nhw'n gallu cynhyrchu *goleuni* hefyd.

4) Gellir *llosgi tanwyddau* i yrru peiriannau, ceir er enghraifft.

5) Mae ein cyrff ni'n *llosgi (defnyddio)* bwyd yn araf i roi *egni* i ni.

NEWIDIADAU CEMEGOL YDY'R NEWIDIADAU HYN I GYD —
ALLWCH CHI DDIM EU CILDROI

Newidiadau cemegol — unffordd yn unig...

Newidiadau *na ellir* eu newid ydy'r rhain. All y cyfaill ar waelod y dudalen gyferbyn ddim cael dad-sgramblo'i wyau gan fod hynny'n amhosibl. Meddyliwch am y pethau sy'n newid pan fydd dŵr yn cael ei ychwanegu atynt, e.e. plastr Paris, sy'n *caledu* fel dur. Cofiwch — pan fydd rhywbeth yn *llosgi*, mae *nwy* anweledig yn cael ei ryddhau.

Adolygu Adran 2

Rhowch gynnig ar y rhain. *Peidiwch â phoeni* os ewch i'r wal. Edrychwch yn ôl ar y tudalennau ond ceisiwch eu cael yn gywir y tro nesaf.

1) Enwch bedwar defnydd naturiol sydd i'w canfod o dan y ddaear.
2) Enwch unrhyw ddefnydd a *ailgylchwyd*.
3) Pam y defnyddir *dur* i adeiladu *pont*?
4) Pam mae teiar wedi ei wneud o *rwber*?
5) Enwch ddefnydd sy'n *ddargludydd thermol* da.
6) Beth ydy *ynysydd thermol*?
7) Ydy *trydan* yn gallu llifo drwy'r rhain:
   a) Pren   b) Metel   c) Plastig?
8) Ydy creigiau i gyd yr *un fath*? *Eglurwch* eich ateb.
9) Beth ydy ystyr *athraidd*?
10) Beth ydy'r *tri grŵp* y caiff defnyddiau eu rhannu iddyn nhw?
    Solidau, _____ , _____ .
11) Pam nad ydy pryfed yn *suddo* wrth gerdded ar ddŵr?
12) Eglurwch sut mae *pwll o ddŵr* yn diflannu.
13) Sut byddech chi yn gwahanu'r *halen* oddi wrth y dŵr mewn hydoddiant o *ddŵr* a *halen*?
14) "Mae'r dŵr yma ar y Ddaear yn ailgylchu'n gyson". *Eglurwch* hyn.
15) Dewiswch y frawddeg gywir: a) Ni ellir cildroi newidiadau *ffisegol*.
    b) Ni ellir cildroi newidiadau *cemegol*.
16) Pa rai o'r rhain sy'n newidiadau *ffisegol*:
    dŵr yn rhewi;   glo yn llosgi;   hufen iâ yn ymdoddi;   metel yn rhydu?
17) Dyma rai darnau o *offer* gaiff eu defnyddio i wahanu defnyddiau.

| **Magnet** | **Papur hidlo a thwndis** | **Gogr/Rhidyll** | **Llwy a llosgydd** |

Dewiswch yr *offer* gorau i *wahanu'r* defnyddiau cymysg yn a) i ch).
Dim ond unwaith y gallwch chi ddewis *pob darn o offer*.

    a) cerrig a dŵr
    b) hoelion a phowdr talc
    c) tywod a graean
    ch) siwgr a dŵr

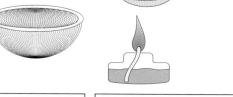

Hoelion — Powdr Talc

18) Faint o *danwyddau* allwch chi eu rhestru?
19) Beth sy'n gorfod digwydd i danwyddau cyn y gallant gynhyrchu *egni* gwres a golau?
20) Pa *danwydd* mae'r corff *dynol* yn ei ddefnyddio?

Magnetau

1) Dim ond metelau sy'n cael eu hatynnu at fagnetau

Pôl Gogledd

Pôl De

2) Mae rhai magnetau'n gryfach na'i gilydd

Mae'r magnet hwn yn dal mwy o glipiau papur na'r magnet pedol — felly mae'n *gryfach*.

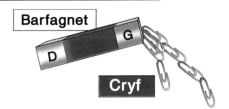

Barfagnet

Cryf

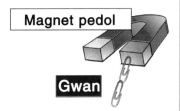

Magnet pedol

Gwan

3) Dydy pob metel ddim yn cael ei atynnu at fagnetau

HAEARN a DUR	= YDY ✓
ALWMINIWM PRES a CHOPR	= NAC YDY ✗

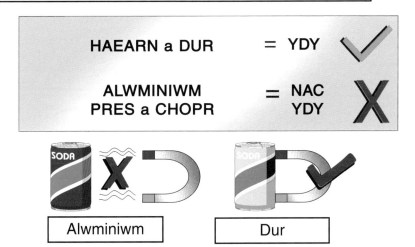

Alwminiwm

Dur

4) Mae magnetau'n rhoi grym ar fagnetau neu ddefnyddiau magnetig eraill

1) Mae pôl gogledd a phôl de'n *atynnu'i* gilydd.

magnetau'n symud tuag at ei gilydd

2) Mae *dau* bôl gogledd yn *gwrthyrru'i* gilydd.

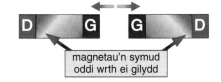

magnetau'n symud oddi wrth ei gilydd

3) Mae *dau* bôl de yn *gwrthyrru'i* gilydd.

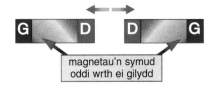

magnetau'n symud oddi wrth ei gilydd

Teimlo'n atyniadol — mae'n rhaid eich bod chi'n fagnet...

Mae magnetedd ychydig yn rhyfedd pan feddyliwch amdano — gall magnet godi clipiau papur i fyny heb hyd yn oed eu cyffwrdd... Cofiwch mai *dim ond* metelau sy'n fagnetig, ond *nad yw pob* metel yn fagnetig. Rhaid i chi ddeall yn glir y gwahaniaeth rhwng bod yn fagnetig a bod yn fagnet. Meddyliwch am ddau fagnet yn *gwrthyrru'i* gilydd — *dim ond* magnetau all wneud hynny.

34

Grym Ffrithiant a Gwrthiant Aer

Mae *ffrithiant* yn digwydd pan fydd dau arwyneb yn *cyffwrdd â'i gilydd*

1) Mae arwynebau garw yn *arafu* pethau gryn dipyn

Mae ffyrdd yn arw i'ch helpu i arafu'n sydyn.

Sgreeeech

2) Dydy arwynebau llyfn *ddim yn* arafu cymaint arnoch chi

Weithiau mae angen cyn lleied o afael â phosibl.

Wiiiiiiit........

3) Mae *ffrithiant* yn rhoi gafael i ni

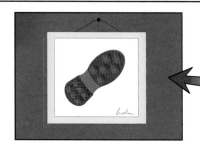

Heb afael, byddai cychwyn a stopio yn anodd. Dyna pam mae gwadnau eich esgidiau ymarfer mor batrymog.

4) Mae *ffrithiant* yn cynhyrchu *gwres*

Dyna pam mae eich dwylo'n cynhesu pan rwbiwch nhw gyda'i gilydd.

Mae *gwrthiant aer* yn *arafu* gwrthrychau sy'n symud

1) Mae aer yn eich arafu wrth i chi symud drwyddo — mae bron fel ceisio symud drwy *ddŵr dwfn*.

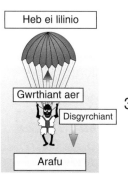

Heb ei lilinio

Gwrthiant aer

Disgyrchiant

Arafu

2) I deithio'n gyflymach drwy aer, rhaid i bethau fod wedi eu *llilinio*.

3) I deithio'n arafach drwy aer, mae angen arwyneb sydd ag *arwynebedd* mawr (fel parasiwt).

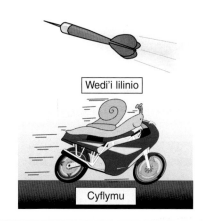

Wedi'i lilinio

Cyflymu

Ymlaen â chi — ewch i'r afael â'r adran hon...

Mae *ffrithiant* yn digwydd pan fydd pethau'n cyffwrdd â'i gilydd ac mae *gwrthiant aer* yn eich arafu pan fyddwch yn symud. Meddyliwch mor hawdd, neu mor anodd, ydy *llithro* ar wahanol arwynebau. Cofiwch y gall ffrithiant fod yn *ddefnyddiol* iawn er ei fod yn arafu pethau. Heb ffrithiant, byddai popeth yn llithro o'ch dwylo. Cofiwch, po *fwyaf* yr *arwynebedd* sydd gennych chi, y *mwyaf* o wrthiant aer a deimlwch.

ADRAN 3 — PROSESAU FFISEGOL

Grym Disgyrchiant

Rydych chi wedi dysgu am ddau rym cynhyrfus ac enwau ffansi iddyn nhw ar y dudalen ddiwethaf — dyma un arall i chi ei ddysgu — disgyrchiant.

Mae *disgyrchiant* yn tynnu gwrthrychau i lawr i gyfeiriad *canol* y Ddaear

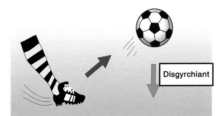

1) Mae disgyrchiant yn eich tynnu i lawr pan ydych chi yn yr aer, mewn dŵr neu'n sefyll ar y llawr.

"Rhaid i unrhyw beth sy'n mynd i fyny ddod i lawr".

2) Mae maint grym disgyrchiant fwy neu lai'r un faint ym mhob rhan o'r byd. Byddai'n rhaid i chi fod ymhell, bell iawn o'r Ddaear i beidio teimlo effaith grym disgyrchiant.

Tair ffordd wych o drechu disgyrchiant

1) Rhoi grym i'r *cyfeiriad dirgroes.*

Mae adenydd aderyn wrth wthio yn erbyn yr aer yn rhoi grym tuag i fyny.

2) Cynhaliwch eich hun ar wrthrych cryf — ond gwnewch yn siŵr ei fod yn ddigon cryf.

Mae'r cerbyd yn rhoi *grym tuag i fyny* ond, yn yr achos hwn, dydy e ddim yn ddigon.

3) Mewn dŵr, os ydy'r *brigwth* (gweler tud. 36) yn hafal i dyniad disgyrchiant, byddwch yn arnofio.

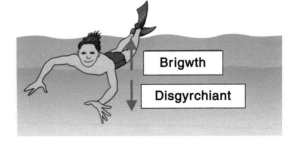

Disgyrchiant — traed ar y ddaear...

Cofiwch fod disgyrchiant yn tynnu tuag at ganol y Ddaear, felly mae'n eich cadw'n solet ar wyneb y Ddaear. Ar y Lleuad, fe deimlwch chi *ddisgyrchiant y Lleuad* ac nid un y Ddaear. Mae'r Lleuad yn *llai* na'r Ddaear, felly mae'r grym disgyrchiant yn *llai* ac ni chewch chi eich tynnu gymaint. Mae gwaelod y dudalen i gyd yn sôn am *gydbwyso* grym disgyrchiant fel na fyddwch yn disgyn o hyd. Mae mwy am gydbwyso grymoedd yn dilyn...

Grymoedd Cytbwys

Os ydy grymoedd yn gytbwys — dydy pethau ddim yn dechrau symud

1) Mae'r cwch yn arnofio am fod y *brigwth* (grym tuag i fyny) yn *hafal* i *ddisgyrchiant* (grym tuag at i lawr).

2) Does neb yn mynd i unman yma gan fod grym yr asyn yn tynnu *un* ffordd yn *hafal* i rym y dyn yn tynnu'r ffordd *arall*.

| Dyn yn tynnu | Asyn styfnig yn tynnu |

3) Mae'r balŵn yn hongian yn yr aer pan fydd y *brigwth* o'r aer yn *hafal* i dyniad *disgyrchiant*.

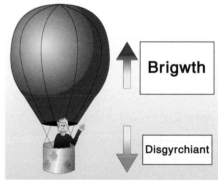

4) Mae'r bwrdd yn cael ei dynnu tuag i lawr gan *ddisgyrchiant*, ond mae'r llawr yn cydbwyso â hyn ac yn gwthio *tuag i fyny* (dywedwn ei fod yn creu brigwth) fel nad ydy'r bwrdd yn symud.

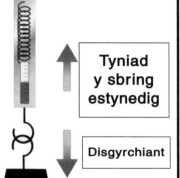

5) Mae'r pwysau yn llonydd am fod *tyniad* y sbring tuag i fyny a thyniad *disgyrchiant* tuag i lawr ar y pwysau yn *hafal* (yn gytbwys).

Grymoedd cytbwys — allan nhw ddim fy symud i...

Yr hyn i'w gofio yma ydy, er fod rhywbeth yn llonydd, nid yw'n golygu nad oes grymoedd yn gweithredu arno. Os ydy dau rym yn *gytbwys*, maen nhw'n *canslo'i* gilydd ac felly dydy'r peth ddim yn symud. Rhowch gynnig ar lunio'r diagramau sydd ar y dudalen hon gan nodi ac enwi'r grymoedd.

Grymoedd Anghytbwys

Pan fydd grymoedd yn *anghytbwys*, mae pethau'n dechrau *symud*

1) Mae disgyrchiant *yn fwy* na'r *brigwth*, felly mae'r cwch yn symud ac, yn anffodus, yn suddo.

2) Mae'r *gwthiad cryf* o'r elastig a'r *tyniad disgyrchiant* yn llawer iawn mwy na'r *gwrthiant aer*. Mae'r taflegryn yn saethu tua'r llawr.

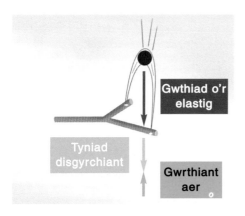

3) Pwy bynnag ydy'r person yma, mae'n gofyn am helynt. Mae'r grym *disgyrchiant* yn llawer *mwy* na'r *gwrthiant aer*. O wel...

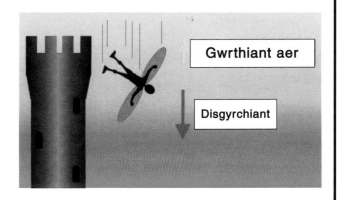

4) Mae'r gwthiad o beiriannau'r roced yn llawer mwy na'r grym disgyrchiant sy'n ei thynnu tuag yn ôl, felly mae'r roced yn codi o'r Ddaear.

Grymoedd anghytbwys — mae pethau'n symud...

Os ydy'r grymoedd ar rywbeth llonydd yn gytbwys, mae'n rhaid i'r grymoedd ar bethau sy'n symud fod yn ... ond, yn anffodus, dydy pethau ddim mor syml â hynny. Cofiwch fod grymoedd yn gwneud i bethau *gyflymu* neu *arafu* ac yn gwneud i bethau *ddechrau* neu *stopio* symud. Mae symud ar fuanedd *cyson* ar linell syth yn golygu grymoedd *cytbwys*.

Y Ddaear a'r Haul

Mae symudiad y Ddaear yn y gofod yn rhoi dydd a nos i ni – dyma sut.

Un Orbit o gwmpas yr Haul = Blwyddyn

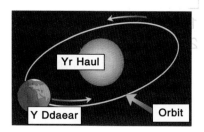

1) Orbit ydy'r *llwybr* mae gwrthrych yn ei gymryd drwy'r gofod o gwmpas gwrthrych arall.
2) Mae'n cymryd *365¼ diwrnod* (blwyddyn) i'r Ddaear wneud un *orbit* o gwmpas yr Haul.
3) Mae'r Ddaear yn cael ei dal yn ei horbit o amgylch yr Haul gan rym *disgyrchiant* yr Haul.

Mae'r Ddaear yn troelli i roi i ni ddydd a nos

1) Mae'r Ddaear bron yn *sfferig* (crwn).

2) Mae'r Ddaear yn cymryd *24 awr* i droelli unwaith ar ei hechelin.
   (24 awr = 1 diwrnod).

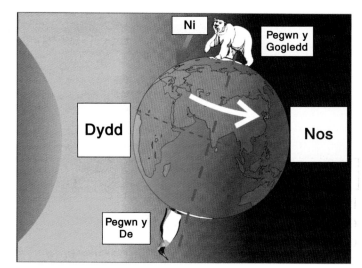

3) Mae ochr y Ddaear sy'n *wynebu'r* Haul yn cael ei oleuo — mae'n *ddydd* ar yr ochr yma.

4) Mae ochr y ddaear sy'n wynebu i ffwrdd o'r Haul mewn tywyllwch — mae'n *nos* yr ochr yma.

5) Mae echelin y Ddaear ar *ogwydd*.

Dydy'r Haul ddim yn symud – ni sy'n symud

Gan fod y Ddaear yn troelli, mae'r Haul yn edrych fel pe bai'n symud ar draws yr awyr fel mae'r dydd yn mynd yn ei flaen.

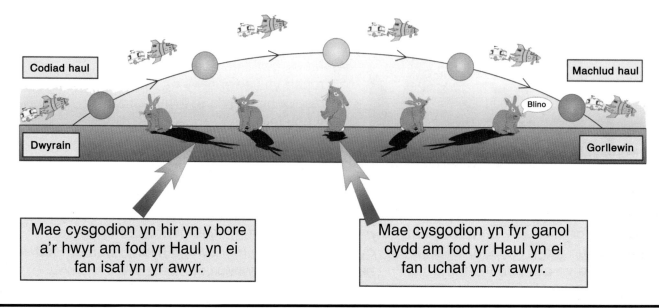

Mae cysgodion yn hir yn y bore a'r hwyr am fod yr Haul yn ei fan isaf yn yr awyr.

Mae cysgodion yn fyr ganol dydd am fod yr Haul yn ei fan uchaf yn yr awyr.

Y Lleuad

Mae'r Lleuad yn troi o gwmpas y Ddaear mewn orbit

1) Mae'n cymryd tua *28 diwrnod* i'r Lleuad droi o gwmpas y Ddaear yn ei horbit.

2) Mae'r Lleuad yn cael ei dal yn ei horbit o gwmpas y Ddaear gan *rym disgyrchiant* y Ddaear.

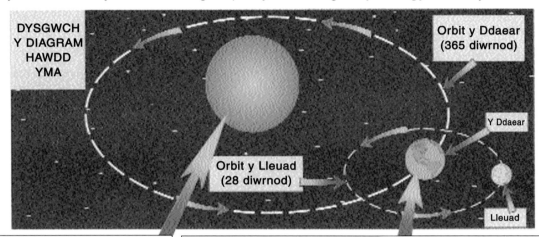

DYSGWCH Y DIAGRAM HAWDD YMA

Orbit y Ddaear (365 diwrnod)

Y Ddaear

Orbit y Lleuad (28 diwrnod)

Lleuad

Mae'r Haul yn fwy na'r Ddaear, felly mae'i rym disgyrchiant yn fwy nag un y Ddaear.

Mae'r Ddaear yn fwy na'r Lleuad, felly mae'i grym disgyrchiant yn fwy nag un y Lleuad — dyna pam mae gofodwyr yn gallu neidio'n uwch ar y Lleuad nag ar y Ddaear.

Mae'r Lleuad fel pe bai'n newid siâp wrth fynd o gwmpas y Ddaear

Digwydd hyn am mai *dim ond* yr ochr i'r Lleuad sy'n adlewyrchu golau'r Haul rydyn ni'n gallu ei gweld — wrth i'r Lleuad droi yn ei horbit o gwmpas y Ddaear gwelwn wahanol feintiau o ochr heulog y Lleuad, ac felly mae'n edrych fel pe bai'n newid ei siâp.

1

Mae ochr dywyll y Lleuad yn wynebu'r Ddaear, felly, allwn ni ddim ei gweld — dyma'r *Lleuad Newydd.*

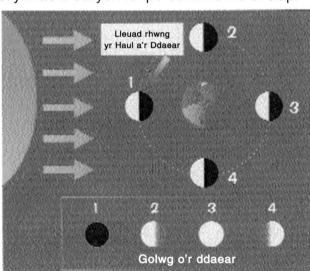

Lleuad rhwng yr Haul a'r Ddaear

Golwg o'r ddaear

3

Gallwn weld ochr gyfan y Lleuad sydd yng ngolau'r Haul — dyma'r *Lleuad Lawn.*

2 a 4

Gallwn weld rhan o'r Lleuad — y rhan sydd yng ngolau'r Haul — dyma'r *Hanner Lleuad.*

Haul o fore gwyn tan nos — diwrnod perffaith...

Mae cryn dipyn i'w ddysgu yma, ond rhaid gwybod y ffeithiau. Mae rhai pobl yn dal i sôn am yr Haul yn codi ac yn machlud fel pe bai'n symud o gwmpas y Ddaear, ond dydy hynny *ddim* yn wir; fel arall y mae pethau. Cofiwch *beth* sy'n troi o gwmpas beth, a *faint* o amser mae'n ei gymryd.

Ffynonellau Goleuni

Os ydy pethau'n dywyll i chi ynglŷn â goleuni a sut rydych chi'n gweld, ewch ymlaen ac fe ddaw popeth yn glir.

Mae *ffynonellau* goleuni — *yn cynhyrchu goleuni*

Ffynonellau goleuni:

1) Yr Haul

2) Sêr

3) Fflam cannwyll

4) Golau trydan

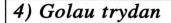

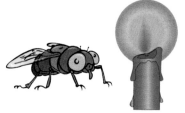

Mae rhai gwrthrychau'n edrych yn llachar, ond dim ond *adlewyrchu* goleuni o rywle arall y maen nhw. Dydy'r rhain *DDIM* yn ffynonellau goleuni. Mae'r rhain yn cynnwys y Lleuad, planedau, drychau a gwrthrychau sgleiniog.

Cofiwch:

Ffynhonnell goleuni

Ddim yn ffynonellau goleuni...

Mae gan oleuni *dri* o *briodweddau pwysig*

1) Mae goleuni'n teithio mewn *llinellau syth* o ffynhonnell goleuni i'ch llygaid.

2) Os oes rhywbeth yn ffordd goleuni, cewch *gysgod*. (gweler tud. 41)

3) Mae goleuni'n teithio'n *gyflym iawn*, tua *miliwn gwaith yn gyflymach* na sain sy'n teithio drwy aer.

Cysgodion

Mae goleuni'n gallu mynd drwy rai defnyddiau

1) Gelwir defnyddiau mae goleuni'n gallu mynd drwyddyn nhw yn ddefnyddiau *tryloyw*.
Mae defnyddiau tryloyw yn cynnwys gwydr, plastig clir, aer.

2) Gelwir defnyddiau sy'n gadael *peth* goleuni drwyddyn nhw, ond na allwch weld drwyddyn nhw'n glir, yn ddefnyddiau *tryleu* — enghreifftiau ydy bocs brechdanau, neu bapur sidan.

3) Gelwir defnyddiau sydd ddim yn gadael goleuni drwyddyn nhw yn ddefnyddiau *di-draidd*.
Mae defnyddiau di-draidd yn cynnwys pren, metel, carreg, cath drws nesa a chi.

Pan fydd goleuni o *ffynhonnell* yn cael ei atal — cewch gysgod

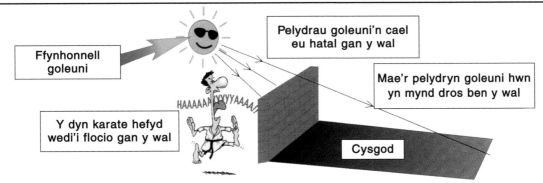

1) Po uchaf *uwch eich pen* yw ffynhonnell goleuni *(yr Haul)*, y *byrraf* ydy'ch cysgod.

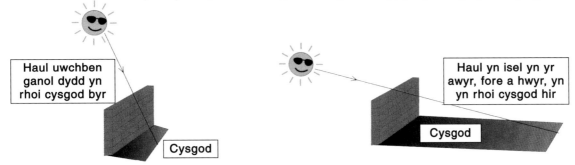

2) Po *agosaf* yw ffynhonnell goleuni i wrthrych, y *mwyaf* ydy'r cysgod.

Tryloyw — mae'r dudalen yma'n glir fel grisial i chi...

Mae'r geiriau *tryloyw*, *tryleu*, a *di-draidd* wedi ymddangos o'r blaen yn yr adran ar ddefnyddiau. Dyma gyfle arall i'w defnyddio a dysgu eu hystyr. Edrychwch ar y diagramau cysgod a *dilynwch* yr hyn sy'n digwydd i'r *pelydrau goleuni* ym mhob un ohonynt.

Drychau

1) Mae drychau'n adlewyrchu goleuni'n ôl ar yr un ongl

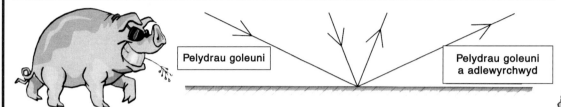

Os gosodwch ddrych yn y *man cywir*, gallwch weld rownd y gornel hyd yn oed. Edrychwch ar y pelydrau goleuni yn y diagram isod.

Mae Mam yn hapus iawn — mae'n meddwl bod Tomos yn adolygu Gwyddoniaeth *ond* — edrychwch i lawr ar yr olygfa hapus.

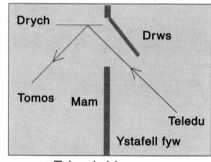

Edrych i lawr

> *Mae Tomos yn gallu gwylio rhaglen anhygoel ar y teledu, ac oherwydd fod goleuni o'r teledu'n cael ei adlewyrchu'n ôl ar yr un ongl, dydy Mam ddim yn ei weld, nag yn amau dim....*

2) Mae perisgop yn defnyddio pâr o ddrychau fel y gallwch weld heibio gwrthrych yn hawdd

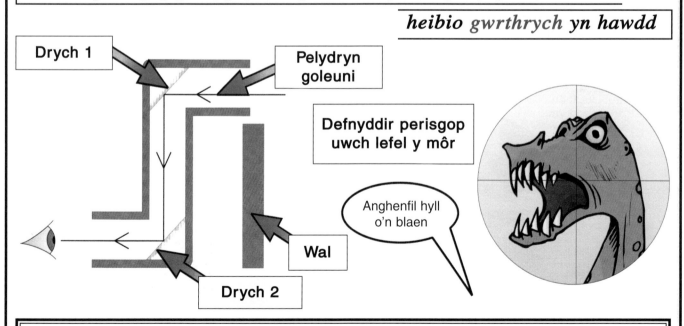

Drychau — maen nhw'n help i adlewyrchu ar y dudalen hon...

Rydych yn gweld bod goleuni'n adlamu pan fydd yn taro drych, a chewch *adlewyrchiad*. Os defnyddiwch ddrych, gallwch weld tu ôl i chi, neu hyd yn oed rownd y gornel. Dilynwch y *pelydrau goleuni* yn y diagramau os ydych chi'n ansicr. Hefyd, cofiwch y rheol bwysig — mae pelydryn goleuni yn cael ei adlewyrchu'n ôl ar yr un ongl pan fydd yn taro drych.

Sut Gallwn Weld

Gallwn *weld* pan fydd goleuni'n *mynd i mewn* i'n *llygaid*

1) Gall goleuni ddod *yn union* o'r ffynhonnell i'ch llygaid — fel pan fyddwch chi'n edrych ar *gannwyll.*

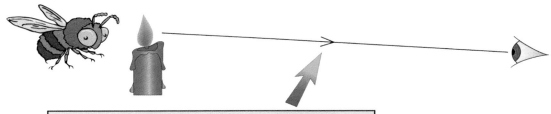

> **Rhowch y saeth ar y pelydryn goleuni yn pwyntio oddi wrth y ffynhonnell a thuag at y llygad.**

2) Mae goleuni hefyd yn *adlamu oddi ar* wrthrychau i'ch llygaid — fel pan fyddwch chi'n edrych ar *deisen.*

TEISEN I MI

Mae goleuni'n *adlamu'n well* oddi ar rai defnyddiau nag eraill

1) Mae *drychau* a gwrthrychau *sgleiniog* yn adlewyrchu goleuni'n dda. Mae goleuni'n adlamu oddi ar yr arwyneb ac i mewn i'ch llygaid.

Ddrych, ddrych dwed i mi, p'run yw'r hardda yn tŷ ni?

YCH!

2) Dydy gwrthrychau *pŵl, tywyll a du ddim* yn adlewyrchu goleuni'n dda. All y goleuni *ddim* adlamu oddi ar yr arwyneb.

Ydych chi'n gweld erbyn hyn...?

Cofiwch, lluniwch eich pelydrau goleuni'n *syth* a gwnewch yn siŵr eu bod nhw'n dechrau a gorffen *ar* y gwrthrychau pwysig (nid yn eu hymyl). Maen nhw'n mynd o'r ffynhonnell i'r llygad, nid y ffordd arall. Dysgwch am *ffynonellau goleuni*, a chofiwch nad ydy pethau fel y Lleuad ddim ond yn *adlewyrchu* goleuni'r Haul.

Cynhyrchu Sain

Dyma bopeth mae angen i chi ei wybod am sain — mewn dim ond dwy dudalen. Mae'n swnio'n rhy dda i fod yn wir...

1) Mae sain neu sŵn yn digwydd pan fydd rhywbeth yn *dirgrynu*

1) Weithiau mae'n amlwg beth sy'n dirgrynu i gynhyrchu sŵn.

2) Dro arall – dydy hi ddim mor amlwg. Yr aer yn y botel sy'n dirgrynu yma i gynhyrchu sain.

2) Mae seiniau'n cael eu *trawsyrru* drwy'r *aer* neu *ddefnydd arall*

1) Mae gwrthrych sy'n dirgrynu yn gwneud i'r aer neu'r defnydd sy'n ei ymyl ddirgrynu hefyd. Felly mae'r dirgryniadau'n teithio *(yn cael eu trawsyrru)* drwy'r aer.

2) Gall sain deithio drwy bob math o ddefnyddiau — e.e. carreg, bricsen, dŵr a gwydr.

3) Ni all sain deithio drwy wactod — gan nad oes dim yno i'w ddirgrynu.

SIAMBR GWACTOD

Dyna le tawel!!

3) Gallwn glywed seiniau wrth i'r *aer sy'n dirgrynu* daro *tympan y glust*

1) Mae'r *aer sy'n dirgrynu* yn taro *tympan y glust* ac yn gwneud iddo ddirgrynu.

2) Mae'r dirgryniad hwn yn cael ei adnabod gan yr *ymennydd*.

GWRTHRYCH YN DIRGRYNU	→	AER YN DIRGRYNU	→	TYMPAN Y GLUST YN DIRGRYNU

ADRAN 3 — PROSESAU FFISEGOL

Newid Sain

Po fwyaf yr egni mewn dirgryniad — y CRYFAF y sain

Yn syml, y *caletaf* y gwnewch chi daro rhywbeth y *cryfaf* y sain.

 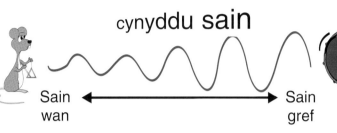

Ychydig o egni, sain ddistaw neu wan

cynyddu sain

Sain wan ⟷ Sain gref

Llawer o egni. Sain gref

OND — peidiwch â phrofi'r rheol hon ar eich brawd bach — mae'n gweithio, ond fydd Mam ddim yn hapus.

Traw ydy pa mor uchel neu isel ydy nodyn

Po *fyrraf* y gwrthrych sy'n dirgrynu, yr *uchaf* ydy traw'r nodyn.

Chwythwch → Chwythwch →

A

B

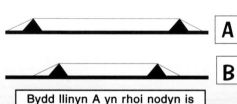

Bydd llinyn A yn rhoi nodyn is am ei fod yn hirach na llinyn B

Bydd potel A yn rhoi nodyn uwch am fod y golofn o aer sy'n dirgrynu yn fyrrach nag ym mhotel B

2) Po *fwyaf* y gwrthrych sy'n dirgrynu, yr *isaf* ydy traw'r nodyn.

Nodau uchel

Nodau isel

Po dynnaf y llinyn, yr uchaf ydy traw'r nodyn

Nodyn isel ei draw — Twang

Llinyn llac yn dirgrynu

Ping — *Nodyn uchel ei draw*

Llinyn tynn yn dirgrynu

Mae hyn fel tiwnio gitâr

Eich tro chi ydy gwneud sŵn yn awr — sŵn dysgu am sain...

Fel y byddwch wedi sylwi mae'n debyg — *dirgryniad* a *dirgrynu* ydy'r geiriau ar y dudalen hon, felly dysgwch nhw. Gwnewch yn siŵr eich bod yn deall *beth* sy'n dirgrynu i greu'r sain. Cofiwch fod raid i'r *aer* ddirgrynu ac yna i *dympan y glust* ddirgrynu i chi allu clywed seiniau. Bydd meddwl am offerynnau cerdd neu fand elastig yn help i chi gofio'r gair *traw*.

Cylchedau Trydanol

Switsiwch ymlaen i hyn — mae'n adran bwerus.

1) Rydyn ni'n cael trydan o'r prif gyflenwad neu o fatrïau

1) Mae llawer o *offer* yn ein cartrefi sy'n defnyddio trydan i weithio. Heb drydan byddai ein bywydau yn *dywyllach*, yn fwy *diflas* ac yn *oerach*.

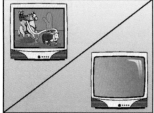
Teledu/Cyfrifiadur

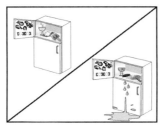
Oergell/Rhewgell

Golau

Gwresogydd

2) Mae offer trydan bach yn aml yn defnyddio *batrïau* sy'n storio trydan. Gellir *symud* yr offer hyn o le i le.

Tortsh
Ffôn
Tegan

2) Gall trydan fod yn beryglus

Gall sioc drydan o soced prif gyflenwad trydan *eich lladd*. Mae trydan o'r prif gyflenwad yn *llawer* cryfach na thrydan o fatri.

PEIDIWCH BYTH â gwthio sisyrnau, pinnau ysgrifennu, bysedd nag unrhyw beth arall i soced prif gyflenwad trydan.

PEIDIWCH BYTH â chyffwrdd switshis gyda dwylo gwlyb.

PEIDIWCH BYTH â defnyddio offer trydan wrth ymyl dŵr.

Gafaelwch yn rhan blastig plwg *BOB AMSER* wrth gysylltu neu ddatgysylltu offer trydan.

PERYGL
FOLTEDD UCHEL

3) Dim ond pan fo cylched gyflawn y gall trydan lifo

1) Mae trydan yn llifo o'r *ffynhonnell pŵer*, fel batri, o gwmpas cyfres o *ddargludyddion (cylched)* ac *yn ôl* i'r ffynhonnell pŵer.

2) Os oes *bwlch* yn y gylched — fydd trydan *ddim* yn llifo.

Bwlch

Cylchedau Trydanol

4) Mae diagramau cylched yn defnyddio *symbolau* yn lle *lluniau*

Gwnewch yn siŵr eich bod yn adnabod y symbolau a'r cydrannau hyn, a defnyddiwch nhw pan fyddwch yn llunio diagramau cylched.

Diagram cylched yn dangos batri, gwifrau, tri switsh, bwlb a swnyn.

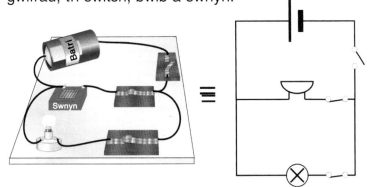

Cydran	Llun	Symbol
Batri		—||—
Bwlb		—⊗—neu —◯—
Swnyn		⏑
Modur		—Ⓜ—
Switsh ar agor		—o⁄ o—
Switsh ar gau		—o—o—

5) Rhaid i'r *batrïau* a'r *cydrannau gael eu gosod yn gywir*

Rhaid i'r batrïau a'r cydrannau gael eu gosod wrth ei gilydd yn gywir cyn y bydd y gylched yn gweithio.

Ni fydd cylched A *yn gweithio* oherwydd fod y wifren wedi ei chysylltu i'r gwydr yn y bwlb, sy'n ynysydd. ☹

Ni fydd cylched B *yn gweithio* oherwydd fod y ddwy wifren wedi eu cysylltu i'r un pen o'r batri. ☹

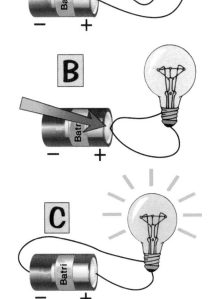

Tric trydanol

HWRE!! Mae cylched C *yn gweithio.*
(os nad yw'r batri'n fflat). ☺

Defnyddiwch symbolau mewn cylchedau...

Mae'r gwaith hwn ar drydan yn edrych braidd yn gymhleth, ond rhaid i drydan deithio o un pen i'r batri yn ôl i ben arall y batri er mwyn i'r gylched weithio. Cofiwch, wnaiff trydan *ddim* llifo os oes *bwlch* yn y gylched. Mae diagramau cylched yn defnyddio symbolau fel math o law fer, ac oes, *mae'n rhaid* i chi *ddysgu'r* symbolau i gyd.

Newid Cylchedau

Rydych chi'n gwybod sut i gael bwlb i oleuo — yn awr dyma fwy o bethau i'w gwneud i reoli ble mae'r trydan yn mynd a ble dydy e ddim yn mynd.

1) Mae switshis yn rheoli llif trydan mewn cylched

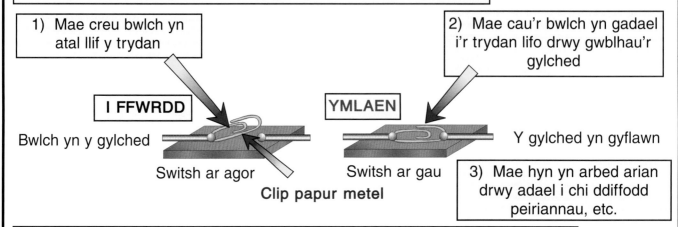

1) Mae creu bwlch yn atal llif y trydan

2) Mae cau'r bwlch yn gadael i'r trydan lifo drwy gwblhau'r gylched

I FFWRDD

Bwlch yn y gylched

Switsh ar agor

Clip papur metel

YMLAEN

Y gylched yn gyflawn

Switsh ar gau

3) Mae hyn yn arbed arian drwy adael i chi ddiffodd peiriannau, etc.

2) Mae switshis yn rheoli rhan o gylched ac yn arbed arian

Edrychwch yn ofalus ar y switshis yn y diagramau cylched hyn — mae rhai *ar agor* a rhai *ar gau*. Tybed allwch chi ganfod pa fwlbiau fydd yn *goleuo*?
(Gyda llaw — rydw i wedi rhoi'r atebion i chi isod.)

Mae switshis ①, ② a ③ *ar agor*
— fydd dim cerrynt yn llifo. *Ni fydd* Bwlb A na B yn goleuo.

Mae switsh ① *ar agor*
— felly all y trydan ddim llifo o amgylch.
Ni fydd Bwlb A na B yn goleuo.

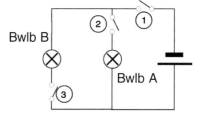

Mae switshis ① a ② *ar gau*
— felly dim ond bwlb *A* fydd yn goleuo.
Mae'r llinell *goch* yn dangos pa ffordd mae'r trydan yn llifo.

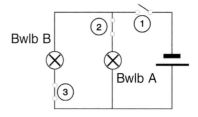

Mae switshis ① a ③ *ar gau*. Y tro hwn dim ond bwlb *B* sy'n goleuo. Mae'r llinell goch yn dangos llwybr y llif trydan.

Cofiwch, os ydy golau'r bwlb i ffwrdd — ei fod yn arbed arian i chi, ac yn ymestyn oes y bwlb.

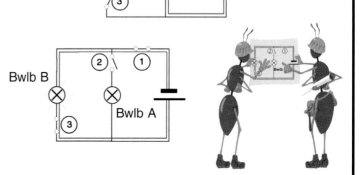

Newid Cylchedau

Mae'n awr yn amser edrych ar gylchedau sydd ychydig yn fwy cymhleth. *(peidiwch â phoeni)*

3) Newid cylchedau syml

Gan ddechrau gyda chylched syml — yn defnyddio batri, switsh, bwlb a gwifren, gallwch newid nifer y batrïau, hyd y wifren a nifer y bylbiau (ond newidiwch un peth ar y tro bob amser).

Ychwanegu *mwy o fatrïau (mewn llinell)* — *bydd y bwlb yn fwy llachar*

Gelwir "*MEWN LLINELL*" yn "*MEWN CYFRES*"

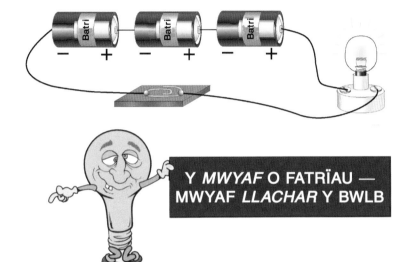
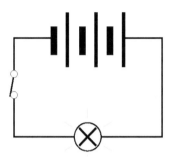

Y *MWYAF* O FATRÏAU — MWYAF *LLACHAR* Y BWLB

BYDDWCH YN OFALUS — GALL GORMOD O FATRÏAU DDIFETHA'R ("CHWYTHU'R") BWLB.

Ychwanegu *mwy o fylbiau (mewn llinell)* — *bydd y bylbiau'n gwanhau*

Bydd golau'r bylbiau'n wannach *(yn llai llachar)* nag y byddai golau un bwlb yn yr un gylched.

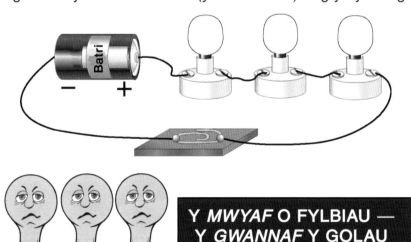
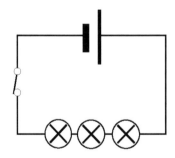

Y *MWYAF* O FYLBIAU — Y *GWANNAF* Y GOLAU

Pe byddai tri modur trydan yma yn lle bylbiau, bydden nhw'n troi'n arafach.

Switsiwch ymlaen...

Mae'r gwaith hwn yn edrych yn fwy cymhleth, ond os meddyliwch amdano gam wrth gam fe gyrhaeddwch ben y daith. Cofiwch *na all trydan lifo* os oes *bwlch* — bydd hynny'n help i chi ganfod pa fylbiau sy'n goleuo mewn cylchedau sydd â *switshis*. *Po fwyaf o fylbiau* sydd gennych chi mewn cylched, y gwannaf fydd eu golau. Cofiwch hefyd *na fydd* yr un agosaf i'r batri'n fwy llachar — bydd pob un yr un fath.

Adolygu Adran 3

Wel, dyma hi, y dudalen y buoch yn disgwyl yn hir amdani. Dyma'r lle i ganfod a ydych chi'n *gwybod* eich ffeithiau — ffeithiau pwysig iawn. Efallai y bydd rhai o'r cwestiynau yn *ymestyn* tipyn arnoch chi, ond mae'r atebion i gyd i'w cael rywle o fewn yr adran.

1) Beth ydy *ffrithiant*?
2) Beth ydy *enw'r* grym sy'n tynnu gwrthrychau i *lawr* tuag at ganol y Ddaear? Oes yna rywle ar y Ddaear lle *nad ydych chi'n* teimlo effaith y grym hwn?
3) Sut mae adar yn *goresgyn* grym disgyrchiant ac yn aros i fyny yn yr awyr?
4) Mewn cystadleuaeth tynnu rhaff, os ydy'r ddau dîm yn tynnu gyda grym *hafal*, beth sy'n digwydd?
5) Pa *siâp* ydy'r *Haul, y Ddaear a'r Lleuad*?
6) O *gwmpas* beth mae'r *Ddaear* mewn orbit, a faint o *amser* mae'n ei gymryd i wneud un orbit?
7) O *gwmpas* beth mae'r *Lleuad* mewn orbit, a faint o *amser* mae'n ei gymryd i wneud un orbit?
8) Gosodwch yn nhrefn maint: *(o'r mwyaf i'r lleiaf)* — y Ddaear, y Lleuad a'r Haul.
9) Pam mae'r Lleuad yn *edrych* fel pe bai'n *newid ei siâp* wrth deithio mewn orbit o gwmpas y Ddaear?
10) *Ble* mae'r Lleuad yn ei horbit pan fydd o'r golwg?
11) Faint o amser mae'n ei gymryd i'r Ddaear *droelli unwaith* o amgylch ei hechelin?
12) Beth sy'n achosi *dydd* a *nos*?
13) Ydy hi'n nos *ym mhob rhan* o'r Ddaear yr un pryd?
14) Ydy'r *Haul* yn symud o gwmpas y Ddaear?

15) Ar ba *adeg o'r dydd* y byddech chi'n disgwyl gweld y *cysgodion byrraf*? *Pam*?

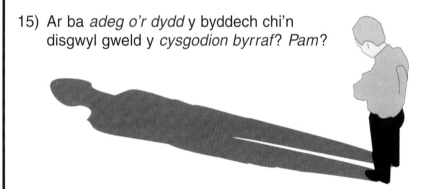

16) Pa un o'r gosodiadau hyn sy'n gywir?
    a) Rydyn ni'n gweld gwrthrych pan fydd goleuni o'n llygaid yn ei daro.
    b) Rydyn ni'n gweld gwrthrych pan fydd goleuni o'r gwrthrych yn taro ein llygaid.
17) *Ble* mae'r Haul yn ymddangos fel pe bai'n *codi* ac yn *machlud*?
18) Sut mae *seiniau'n* cael eu cynhyrchu?
19) Enwch *un* peth na all sain deithio drwyddo ac eglurwch pam.
20) *Sut* gallech chi wneud i groen wedi ei ymestyn ar ddrwm gynhyrchu nodyn *uwch*?

21) Pam mae cortyn yn aml yn hongian o switsh golau *ystafell ymolchi*?
22) Enwch dair cydran drydanol a ddefnyddir mewn cylchedau syml.
23) Lluniwch *ddiagram cylched* yn dangos cylched yn cynnwys:
        dau fatri, gwifrau, switsh agored a swnyn.
24) Lluniwch ddiagram cylched yn dangos sut y gallwch ddefnyddio *switshis* i reoli dwy ran wahanol o gylched.
25) Sut byddech chi'n gwneud i fwlb mewn cylched oleuo'n *wannach*? Awgrymwch *ddwy* ffordd o wneud hyn.

Mynegai

Mynegai